UN COMPROMISO EXCLUSIVO
ANDREA LAURENCE

Editado por HARLEQUIN IBÉRICA, S.A.
Núñez de Balboa, 56
28001 Madrid

I.S.B.N.: 978-84-687-4207-6
Depósito legal: M-4585-2014
Editor responsable: Luis Pugni
Fotomecánica: M.T. Color & Diseño, S.L. Las Rozas (Madrid)
Impresión en Black print CPI (Barcelona)
Fecha impresion para Argentina: 24.11.14
Distribuidor exclusivo para España: LOGISTA
Distribuidor para México: CODIPLYRSA
Distribuidores para Argentina: interior, BERTRAN, S.A.C. Vélez
Sársfield, 1950. Cap. Fed./ Buenos Aires y Gran Buenos Aires,
VACCARO SÁNCHEZ y Cía, S.A.

Capítulo Uno

Figlio di un allevatore di maiali.

Liam Crowe no hablaba italiano. El nuevo dueño de la cadena de televisión American News Service casi no era capaz de pedir en un restaurante italiano, y estaba seguro de que su nueva vicepresidenta ejecutiva de promoción comunitaria lo sabía.

Francesca Orr había murmurado aquellas palabras durante la junta extraordinaria de esa mañana. Él las había escrito, o algo parecido, en su cuaderno para poder después buscar su significado. Francesca las había dicho de manera muy seductora. El italiano era un idioma poderoso, sobre todo, cuando la que lo hablaba era una mujer morena, de labios pintados de rojo y belleza exótica.

Y, no obstante, tenía la impresión de que no iba a gustarle lo que le había dicho.

No había esperado que la adquisición de la empresa de Graham Boyle fuese a ser tan sencilla. Tanto el anterior dueño como varios de sus empleados estaban en la cárcel por un delito de escuchas telefónicas que había tenido como objetivo al presidente los Estados Unidos. El primer punto del orden del día de la junta había sido suspender a Angelica Pierce, periodista de la cadena, porque se sospechaba que había cometido una falta grave. Hayden Black seguía investigando el caso para el Congreso y, más concretamente, el papel de Angelica en todo el asunto. En esos momentos, tenían motivos suficientes para suspenderla. Cuando Black terminase con su investigación, y, con un poco de suerte, encontrase pruebas concluyentes, Liam y su junta directiva determinarían las siguientes medidas.

Aquello era una vorágine corporativa y política, pero ese era el único motivo por el que Liam había podido hacerse con la mayor parte de las acciones de la cadena. ANS era la joya de la corona de los medios de noticias. Siempre había querido conseguirla. El escándalo de las escuchas telefónicas y el pirateo informático había hecho caer a Graham Boyle, el anterior dueño, y a la cadena. Incluso con este entre rejas y el desplome de las audiencias, Liam había sabido que era una oportunidad que no podía desperdiciar.

Así que tenía que superar aquel escándalo y volver a conseguir una buena reputación. Nada en la vida era fácil y a Liam le gustaban los retos, pero esperaba que los empleados de ANS y, más concretamente, su junta directiva, lo apoyasen. Desde el portero de noche al director ejecutivo, todos los puestos corrían peligro. Casi todas las personas con las que hablaba se alegraban de que hubiese comprado la cadena, deseaban olvidarse del escándalo y esperaban poder volver a levantar la cadena.

Pero Francesca, no. Aquello no tenía sentido. Aunque, claro, tenía un padre que era productor cinematográfico, rico y famoso, que la apoyaría si perdía su trabajo en ANS. No obstante, su trabajo consistía en conseguir fondos para organizaciones benéficas. Seguro que la empresa le preocupaba tanto como los huérfanos que se morían de hambre o los pacientes de cáncer.

Pero, en cualquier caso, no lo parecía. Francesca había llegado a la sala de juntas ataviada con un traje rojo, ceñido, y había arremetido contra él como el mismísimo demonio. A Liam ya le habían advertido que era una mujer apasionada y testaruda, que no se lo tomase de manera personal si chocaban. Pero no había estado preparado para aquello. Había bastado con mencionar la posibilidad de reestructurar el presupuesto para ayudar a absorber las pérdidas para que se pusiese furiosa. No obstante, no podían gastarse millones de dólares en organizaciones benéficas estando en una situación económica tan complicada.

Aunque, cómo no, ella no estaba de acuerdo.

Liam suspiró, cerró su maletín y salió de la sala de juntas para irse a comer. Había planeado invitar a varios miembros de la junta, pero cada cual se había ido por su cuenta al terminarse la reunión. Y a él no le extrañaba. Había conseguido mantener el control y se había asegurado de tratar todos los puntos del orden del día, pero era un proceso doloroso.

Por extraño que pareciese, lo único que había hecho que para él fuese remotamente tolerable había sido la imagen de Francesca. En una sala llena de mujeres de negocios mayores y hombres vestidos de gris, negro y azul marino, Francesca había sido un toque de color. Y Liam no había podido evitar mirarla, incluso cuando esta había estado en silencio.

Tenía el pelo negro como el ébano, rizado, que le caía sobre los hombros; los ojos almendrados, marrones oscuros, con largas pestañas. Eran unos ojos enigmáticos, incluso cuando lo miraba mal. Cuando discutía con él, se le sonrojaba el rostro, dando a su piel perfecta y bronceada un tono rosado que resultaba realzado por el rojo de sus labios y de su vestido.

Liam siempre había tenido debilidad por las mujeres apasionadas y exóticas. En el instituto había tenido su ración de chicas rubias y de ojos azules y, al llegar a la universidad, se había dado cuenta de que le gustaban más las mujeres un poco picantes. Francesca, si no hubiese intentado estropearle el día y, probablemente, el año entero, habría sido el tipo de mujer a la que le habría pedido salir.

No obstante, lo último que necesitaba era complicar su situación con una aventura.

En esos momentos, lo que le hacía falta era una copa y un buen filete de su restaurante favorito. Se alegraba de que la sede corporativa de ANS estuviese en Nueva York. A pesar de que le gustaba vivir en Washington, siempre era un placer volver a su ciudad natal. Allí estaban los mejores restaurantes del mundo, podía ver a su equipo de béisbol desde un palco de lujo y el ambiente de Manhattan era incomparable.

Tendría que ir a Nueva York con cierta frecuencia. En realidad, le habría gustado quedarse a vivir allí, pero si quería meterse de lleno en política tenía que estar en Washington. Así que había establecido su despacho en la redacción de ANS en Washington, tal y como había hecho Boyle, y había conservado su apartamento de Nueva York y la casa que tenía en Georgetown. Así tenía lo mejor de ambos mundos.

Pasó por su despacho antes de ir a comer. Dejó el maletín en la mesa y copió las palabras de Francesca en un post-it que después entregó a su secretaria.

–Jessica, ya se ha terminado. La señora Banks te traerá los documentos necesarios para procesar la suspensión de la señorita Pierce. Quiero que Recursos Humanos se encargue del tema inmediatamente. Y ahora, me voy a comer.

Le tendió la nota con la frase italiana.

–¿Puedes conseguirme una traducción? Es italiano.

Jessica sonrió y asintió, como si no fuese la primera vez que le pedían aquello. Al parecer, también lo había hecho para Graham Boyle en alguna ocasión.

–Por supuesto, señor –respondió, mirando el papel–. Veo que la señorita Orr le ha dado la bienvenida a la empresa. Esto no lo había visto antes.

–¿Debo sentirme halagado?

–Todavía no lo sé, señor. Se lo diré en cuanto lo averigüe.

Liam se echó a reír y se dio la vuelta para marcharse, pero se detuvo antes de salir.

–Solo por curiosidad –dijo–. ¿Cómo llamaba a Graham?

–Su favorito era *stronzo*.

–¿Y qué significa?

–Tiene varias traducciones, pero no creo que deba decir ninguna en voz alta.

En su lugar, escribió una palabra en el reverso de la nota que él le había dado.

–Vaya –comentó Liam–. Veo que no es precisamente un piropo. Tendré que hablar con la señorita Orr antes de que se nos vayan las cosas de las manos.

Vio una mancha roja pasar fugazmente ante él y se dio cuenta de que era Francesca, que iba hacia los ascensores.

–Ahí está mi oportunidad.

–Buena suerte, señor –le dijo Jessica.

Cuando Liam llegó a los ascensores una de las puertas se había abierto y Francesca había entrado y se había girado hacia él. Lo vio llegar. Sus miradas se cruzaron un instante y entonces Francesca tocó un botón. Para cerrar las puertas más rápidamente.

Muy agradable.

Él metió el brazo entre las hojas de metal para hacer que volviesen a abrirse. A Francesca no pareció gustarle aquella invasión. Lo fulminó con la mirada y luego arrugó su pequeña nariz como si oliese mal. Cuando las puertas empezaron a cerrarse otra vez, retrocedió hasta un rincón del ascensor a pesar de que estaban los dos solos.

–Tenemos que hablar –le dijo Liam en cuanto empezaron a bajar.

Francesca abrió mucho los ojos y apretó los labios.

–¿De qué? –preguntó en tono inocente.

–De tu actitud. Sé que te apasiona tu trabajo, pero, te guste o no, soy yo quien manda en esta empresa y voy a hacer lo que sea necesario para salvarla. No voy a permitir que me ridiculices delante de…

Liam se interrumpió al ver que el ascensor se paraba de repente y las luces se apagaban en su interior.

No era posible. No podía estar atrapada en un ascensor estropeado con Liam Crowe. Era un hombre testarudo y demasiado guapo. Pero tenía que haber imaginado que algo malo iba a ocurrir. Había habido trece personas sentadas alrededor de la mesa de la sala de juntas. El número trece era el de la mala suerte.

Nerviosa, se tocó el cuerno de oro italiano que llevaba en el cuello y suplicó en silencio que aquello terminase bien.

–¿Qué ha pasado? –preguntó en un hilo de voz.

–No lo sé –respondió Liam.

Estuvieron a oscuras unos segundos más y luego se encendió la luz roja de emergencia. Liam se acercó al panel de botones y descolgó el teléfono. Sin decir palabra, volvió a colgarlo. Después le dio al botón de emergencia, pero no ocurrió nada. Todo el panel estaba apagado, no parecía funcionar.

—¿Y bien? —preguntó Francesca.

—Creo que no hay electricidad. El teléfono no funciona —dijo, sacando su teléfono móvil y mirando la pantalla—. No tengo cobertura, ¿y tú?

Francesca buscó en su bolso y sacó el teléfono, miró la pantalla y negó con la cabeza. Tampoco tenía cobertura. De todos modos, casi nunca la tenía en un ascensor.

—Nada.

—Maldita sea —dijo Liam, guardándose el aparato—. No puedo creerlo.

—¿Qué vamos a hacer?

Liam se apoyó en la pared.

—Esperar. Si el corte de electricidad es en todo el edificio, no podemos hacer nada.

—Entonces, ¿nos sentamos a esperar?

—¿Se te ocurre algo mejor? Esta mañana tenías un montón de ideas.

Francesca hizo caso omiso de su indirecta, se cruzó de brazos y le dio la espalda. Luego miró la trampilla que había en el techo. Podía intentar llegar a ella, pero no sabía en qué piso estaban.

Habían tomado el ascensor en el cincuenta y dos, y no les había dado tiempo a bajar mucho. Debían de estar entre dos pisos. Además, podía volver la luz cuando estuviesen ahí arriba y podían sufrir un accidente. Tal vez fuese mejor idea esperar allí.

Con un poco de suerte, la luz volvería en cualquier momento.

–Es mejor esperar –admitió a regañadientes.

–Jamás pensé que estaríamos de acuerdo en algo, después del cabreo que tenías en la junta.

Francesca se giró a mirarlo.

–Yo no tenía ningún cabreo. Lo que ocurre es que no soy tan dócil como los demás y no iba a quedarme sentada mirando cómo tomabas decisiones equivocadas para la empresa. Los demás están demasiado asustados para crear problemas.

–Les da miedo que la empresa no supere el escándalo de las escuchas. Y no han dicho nada porque saben que tengo razón. Tenemos que ser fiscalmente responsables si vamos a…

–¿Fiscalmente responsables? ¿Y qué hay de la responsabilidad social? ANS lleva siete años apoyando a la ONG Youth in Crisis. No podemos retirar nuestro apoyo este año, a solo dos semanas de la gala. Cuentan con el dinero para sus programas con jóvenes. Esas actividades consiguen sacar a muchos niños de la calle y darles oportunidades que no tendrían sin nuestro dinero.

Liam frunció el ceño y apretó la mandíbula.

–¿Piensas que no me importan los niños desfavorecidos?

Francesca se encogió de hombros.

–No sabría qué decir.

–Pues sí que me importan –le aseguró él–. He asistido a la gala los dos últimos años y en ambas ocasiones les he dado un buen cheque, pero no se trata de eso. Tenemos que recortar gastos para mantener la empresa a flote hasta que consigamos limpiar nuestra imagen.

–No, te equivocas –insistió ella–. Necesitas las galas benéficas para limpiar la imagen de la empresa y que esta se mantenga a flote. ¿Qué mejor manera de conseguir una buena imagen que a través de buenas obras? Así la gente sabrá que hubo quien hizo las cosas mal en la cadena, pero que el resto estamos comprometidos a hacerlas bien. Ya verás como recuperamos anunciantes.

Liam se quedó mirándola fijamente y luego dijo:

–Tu argumento habría resultado mucho más convincente si no te hubieses dedicado a gritar y a insultarme en italiano.

Francesca frunció el ceño. No había pretendido perder el control, pero no había podido evitarlo.

–Tengo mucho carácter –admitió–. Lo he heredado de mi padre.

Cualquiera que hubiese trabajado en la industria conocía el carácter de Victor Orr, que era capaz de explotar en un momento, sin previo aviso, y muy difícil de calmar. Y ella era igual.

–¿También jura en italiano?

–No, es irlandés y no habla ni una palabra de italiano, y mi madre lo prefiere así. No obstante, mi madre está muy orgullosa de sus orígenes y yo siempre he pasado los veranos en Italia, con mi *nonna*.

12

—¿*Nonna*?

—Mi abuela materna. Allí aprendí bastante el idioma, incluidas algunas frases que no debería saber. De adolescente, me di cuenta de que, si juraba en italiano, mi padre no me entendía. De ahí me viene la mala costumbre. Siento haber gritado —añadió—. Es que la empresa me importa demasiado.

Francesca podía parecerse a su madre en muchas cosas, pero también se parecía a su padre. Victor Orr procedía de una familia pobre y había educado a sus hijas para que valorasen lo que tenían, y para que lo compartiesen con otras personas menos afortunadas. Francesca había sido voluntaria en organizaciones benéficas desde el instituto. Luego, su padre, que era socio minoritario de ANS, la había ayudado a entrar en la empresa, y ella enseguida había sabido qué puesto quería ocupar. Además, su trabajo se le daba muy bien. Graham nunca había tenido quejas sobre ella.

Pero todo giraba alrededor del dinero. Cuando las cosas se ponían feas, el primer presupuesto que se recortaba era el suyo. ¿Por qué no eliminaban beneficios corporativos? ¿Por qué no recortaban en viajes y obligaban a la gente a tener más videoconferencias? ¿O en la gomina del presentador de las noches?

—No quiero despedazar tu departamento —le dijo Liam—. Lo que haces es importante para ANS y para la comunidad, pero todo el mundo tiene que apretarse el cinturón. No solo tú. Es difícil

13

ponerse al frente de una empresa que funciona bien, así que imagínate cómo es tomar las riendas de ANS. Voy a hacer todo lo que esté en mi mano para que la cadena vuelva a lo más alto, pero necesito la ayuda de todo el mundo.

Francesca se dio cuenta de que era sincero. Le importaban la empresa y sus empleados. Antes o después lo convencería para que viese las cosas como ella. Solo tenía que utilizar las tácticas de su madre.

Le llevaría más tiempo y paciencia que con Graham, pero Liam parecía razonable. Acababa de ganarse unos puntos.

—De acuerdo.

Liam la miró como si no creyese lo que acababa de oír. Luego, asintió. Ambos se quedaron en silencio unos segundos, hasta que Liam se quitó la cara chaqueta del traje y la tiró al suelo, y después hizo lo mismo con la corbata. Se desabrochó el cuello de la camisa y respiró hondo, como si no hubiese sido capaz de hacerlo hasta entonces.

—Me alegro de que podamos declarar una tregua, porque hace demasiado calor aquí para seguir peleando. Cómo no, hemos tenido que quedarnos encerrados en uno de los días más calurosos del año.

Tenía razón. El aire acondicionado no estaba funcionando y hacía mucho calor para ser principios de mayo. Y cuanto más tiempo estuviesen allí, más subiría la temperatura.

Francesca siguió su ejemplo y se quitó la chaqueta, quedándose con una camisa negra de seda y encaje y una falda de tubo. Menos mal que no se había puesto medias.

Dejó la chaqueta en el suelo y se sentó encima. No podía seguir de pie con aquellos tacones, y ya no tenía esperanzas de que los sacasen de allí pronto. Si iban a tener que esperar un rato más, prefería estar cómoda.

–Ojalá hubiese sucedido después de la comida. Ya ni me acuerdo de lo que hemos desayunado en la sala de conferencias.

Francesca estaba de acuerdo. No había comido nada desde esa mañana, que se había tomado un cappuccino y un cruasán antes de salir del hotel, pero, como solía comer tarde, siempre llevaba algo de picar en el bolso.

Utilizó la luz del teléfono para buscar en él y encontró una barrita de cereales, un paquete de galletas italianas y una botella de agua.

–Yo tengo un par de cosas de comer. La cuestión es si nos las tomamos ahora, con la esperanza de que nos saquen de aquí pronto, o esperamos por si tardan varias horas.

Liam se sentó a su lado en el suelo.

–Ahora, sin duda.

–No durarías ni diez minutos en uno de esos realities de supervivencia.

–Por eso los produzco en vez de participar en ellos. Para mí, sobrevivir es tener que comer en Times Square con los turistas. ¿Qué tienes?

–Una barrita de cereales y unas galletas italianas. Y podemos compartir el agua.

–¿Qué prefieres tú?

–Me gustan las galletas. Son parecidas a las que me daba mi abuela para desayunar cuando estaba con ella. En Italia no se desayuna huevos y beicon, como aquí. Y una de las cosas que más me gustaba de estar allí era desayunar bizcochos y galletas.

Liam sonrió y ella se dio cuenta de que era la primera vez que lo veía sonreír. Era una pena. Tenía una sonrisa bonita, que le iluminaba todo el rostro. Y parecía más natural que esa expresión seria que tenía todo el día era como si, en realidad, fuese un hombre despreocupado y relajado. La tensión de la compra de ANS debía de estar afectándolo mucho. Esa mañana había sido muy profesional y ella, con su comportamiento, no lo había ayudado.

En esos momentos estaba estresado, hambriento y molesto por haberse quedado encerrado en el ascensor. Francesca se alegró de haber conseguido que sonriese, aunque hubiese sido solo un momento.

Eso compensaba un poco su actuación de esa mañana. Se dijo que tenía que ser más cordial en un futuro. Liam estaba siendo sensato y no tenía sentido ponerle las cosas todavía más difíciles de lo que eran.

–Lo de desayunar bizcochos suena genial. Lo mismo que pasar los veranos en Italia. Cuando terminé el instituto, estuve una semana en Roma, pero eso es todo. Solo me dio tiempo a visitar los monumentos más importantes, como el Coliseo y el Partenón.

Miró los dos paquetes que Francesca tenía en las manos.

–Me tomaré la barrita de cereales, dado que tú prefieres las galletas. Gracias por compartirlo conmigo.

Francesca se encogió de hombros.

–Es mejor que oír cómo te ruge el estómago –comentó, le dio la barrita y abrió la botella de agua para darle un sorbo.

Liam abrió el envoltorio y se comió la barrita antes de que a Francesca le hubiese dado tiempo a meterse la primera galleta en la boca. Se echó a reír mientras empezaba a comer, y se dio cuenta de que Liam la miraba como un tigre hambriento.

–Toma –le dijo, tendiéndole la bolsa–. No puedo soportar que me mires así.

–¿Estás segura? –le preguntó él, mirando la bolsa de galletas, que había ido a parar a sus manos.

–Sí, pero cuando salgamos de este ascensor, tendrás que recompensarme.

–Hecho –le dijo él, metiéndose la primera galleta en la boca.

Francesca pensó que tenía que hacer falta mucha comida para mantener a un hombre como aquel. Era tan grande como había sido su *nonno*. Su abuelo había fallecido cuando ella era solo una niña, pero su *nonna* le había hablado mucho de él y de cuánto había tenido que cocinarle. Como su *nonno*, Liam era alto y fuerte. Tenía complexión de corredor. En Washington, muchas personas corrían alrededor del National Mall, o eso le habían dicho.

Se imaginó a Liam corriendo, con pantalones cortos y sin camiseta. Y pensó que tenía que ir alguna vez ella también, aunque fuese solo por las vistas.

A Francesca no le gustaba sudar. Y correr con la humedad que había en verano en Virginia le parecía impensable. Lo mismo que hacerlo durante los fríos inviernos. Así que no corría. Tenía cuidado con lo que comía, se daba algún capricho y caminaba todo lo que sus tacones se lo permitían. Eso hacía que estuviese delgada, pero con curvas.

Y, hablando de sudar… Estaba empezando a hacerlo. Se sentía pegajosa pero no se podía quitar más ropa, a no ser que quisiese acercarse a Liam mucho más de lo previsto.

Pensó que eso no estaría tan mal.

Hacía mucho tiempo que no salía con nadie. Se había dedicado a su trabajo, aunque siempre se había mantenido abierta a cualquier posibilidad. No obstante, no había conocido a nadie interesante. Casi todas sus amigas tenían pareja y a ella le preocupaba ser la última que la encontrase.

Aunque Liam Crowe no era de los que tenían relaciones serias. Era el típico hombre con el que tener una aventura. Y ella no solía tenerlas si pensaba que no iba a haber un futuro, pero vio cómo se le ceñía la camisa a los anchos hombros y se dijo que tal vez fuese eso lo que necesitaba. Algo con lo que liberar tensión y tomar fuerzas para seguir esperando a que llegase su hombre de verdad.

Metió la mano en el bolso y sacó una horquilla. Se recogió la melena oscura y se la sujetó. Eso la alivió un momento nada más.

Si no salían pronto de ese ascensor, iba a pasar algo.

Dio otro sorbo de agua y apoyó la cabeza en la pared. Luego se alegró de haberse puesto la ropa interior a juego esa mañana. Tenía la sensación de que a Liam le iba a gustar.

Capítulo Dos

—Cielo santo, ¡qué calor! —exclamó Liam, po-niéndose en pie.

Se desabrochó los botones de la camisa y sus-piró aliviado al quitársela.

—Lo siento si te sientes incómoda, pero tenía que hacerlo.

Francesca seguía sentada en silencio y casi ni lo miró, aunque Liam había visto que lo miraba un instante y abría mucho los ojos, como con cu-riosidad. Interesante.

En las dos últimas horas, había empezado a verla de manera diferente. La entendía mejor y sabía lo que era importante para ella. Con un poco de suerte, cuando saliesen de aquel ascen-sor podrían empezar a trabajar juntos sin hostili-dad.

Tal vez pudiesen llevarse bien. Después de de-jar de gritar, le gustaba Francesca. De hecho, le gustaba más de lo que debería, teniendo en cuen-ta que trabajaba para él.

—Francesca, quítate algo de ropa. Sé que te es-tás muriendo de calor.

Ella negó con firmeza, aunque tenía gotas de sudor en el escote.

—No, estoy bien, gracias.

–De eso nada. Te encuentras tan mal como yo. Estás muerta de calor. Quítate la ropa, de verdad. Yo me voy a quitar los pantalones de aquí a diez minutos, así que no seas vergonzosa.

Francesca lo miró sorprendida.

–¿Los pantalones? –preguntó, tragando saliva mientras recorría su pecho con la mirada.

–Sí. Cada vez hace más calor. No tienes que mirarme, pero voy a hacerlo. Y tú deberías quitarte algo también.

Ella suspiró con resignación, se levantó e intentó bajarse la cremallera de la falda.

–No puedo, se ha atascado.

–Deja que te ayude –se ofreció Liam.

Francesca le dio la espalda y él se agachó para intentar ver mejor la cremallera a pesar de la falta de luz. Al acercarse a ella, aspiró el olor de su piel caliente, mezclado con el de un suave aroma a rosas. Inspiró y mantuvo el aire unos segundos en sus pulmones. Era embriagador.

Agarró la cremallera ignorando el deseo que había sentido nada más meter los dedos por la falda y tocar su piel. Tiró de ella y consiguió bajarla. Y entonces vio las braguitas rojas de satén.

–Ya está –le dijo entre dientes, retrocediendo antes de que se le ocurriese hacer alguna estupidez, como tocarla más de lo necesario.

Una cosa era quedarse en ropa interior dentro de un ascensor. Y otra completamente distinta, hacerlo con una erección. Eso sería muy difícil de disimular.

–Gracias –respondió Francesca en voz baja.

Empezó a bajarse la falda y él hizo un esfuerzo por darse la vuelta para no mirarla. Francesca tenía todo lo que le gustaba en una mujer. Era guerrera, exótica, voluptuosa y, además de todo eso, solidaria. No era una de esas mujeres ricas que se metían en organizaciones benéficas porque no tenían nada mejor que hacer. Ella se implicaba de verdad.

Y a él le gustaba eso, aunque en un futuro fuese a costarle más de un dolor de cabeza.

–*Grazie, signore* –le dijo ella suspirando–. La verdad es que me siento mejor.

Él la miró por el rabillo del ojo y vio que volvía a sentarse en el suelo.

–¿Puedo girarme? –le preguntó.

–Sí, gracias por preguntar.

Liam la miró. Se había bajado la camisa para taparse las piernas, aunque lo que había conseguido era que se le viese el sujetador rojo por el escote.

–Ya te puedes quitar los pantalones si quieres –añadió Francesca.

Él se echó a reír y sacudió la cabeza. No podía hacerlo después de haberle visto el sujetador.

–No creo que sea buena idea ahora mismo.

Ella frunció el ceño, confundida.

–¿Por qué…? –luego se interrumpió–. Ah.

Liam cerró los ojos e intentó controlar su erección, pero lo que hizo fue volver a pensar en las braguitas rojas.

–Es el problema de quedarse atrapado en un ascensor con una mujer bella y medio desnuda.

–¿Te parezco guapa? –preguntó ella después de unos segundos de silencio.

Él puso los brazos en jarras.

–Sí.

–Eso no me lo esperaba.

Liam la miró.

–¿Y por qué no? Yo creo que le gustarías a cualquier hombre con sangre en las venas.

–Crecí en Beverly Hills –comentó ella, encogiéndose de hombros–. No voy a decir que no saliese con nadie en el instituto… pero se llevaban más las muñecas Barbie de Malibú.

–¿El qué?

–Ya sabes, las chicas rubias, bronceadas, con pendientes en el ombligo y cuerpos de un chico de doce años. Al menos, hasta que cumplían los dieciocho años y tenían el dinero suficiente para ponerse pechos.

–La gente de Hollywood está loca –dijo Liam–. Yo con doce años no tenía nada de erótico, mientras que tú…

Sacudió la cabeza y se imaginó acariciando sus curvas. Tuvo que apretar los puños para controlarse.

–No sabes el esfuerzo que tengo que hacer para no tocarte, viéndote así.

Hubo un largo silencio. Entonces, Francesca recuperó la voz.

–¿Y por qué no me tocas?

Liam apretó la mandíbula y todo su cuerpo se puso tenso.

–No creo que sea buena idea. Soy tu jefe. Tenemos que trabajar juntos. La situación podría volverse incómoda. ¿No crees?

«Por favor, que diga que no. Por favor, que diga que no».

–No estoy de acuerdo –respondió ella, poniéndose de rodillas–. Ambos somos adultos. Sabemos lo que es esto y lo que significa.

Avanzó sensualmente a gatas por el suelo del ascensor.

–¿Y si lo que ocurra en el ascensor se queda en el ascensor?

Liam no supo qué decir. No fue capaz de articular palabra mientras se desabrochaba el cinturón y se quitaba los pantalones. En cualquier caso, no la contradijo.

No. La deseaba demasiado como para que su sentido común interfiriese. Además, tenían que matar el tiempo de alguna manera, ¿no? No sabían cuántas horas iban a tener que estar atrapados allí.

Los pantalones cayeron al suelo y él terminó de quitárselos a patadas. Se agachó y le sacó a Francesca la camisa por la cabeza. Esta se quitó la horquilla que le sujetaba el pelo y una alfombra de seda negra cayó sobre sus hombros.

Liam la vio solo con la ropa interior roja y se sintió aturdido. Era la mujer más sexy que había conocido en toda su vida, y estaba casi desnuda, de rodillas, delante de él.

¿Cómo podía tener tanta suerte?

Incapaz de seguir controlándose, se inclinó a besarla. Sus labios y sus cuerpos chocaron y se fundieron. Francesca lo abrazó por el cuello y se apretó contra él.

El contacto fue eléctrico, Liam sintió que le ardía la sangre. Quería devorarla. Metió la lengua en su boca y le exigió todo lo que podía darle. Ella respondió al beso y le clavó las uñas en la espalda.

Liam le puso una mano en la cintura y la tumbó con cuidado. Se colocó entre sus muslos y dedicó a cada pecho la atención que se merecía. Enseguida le bajó los tirantes y dejó que el sujetador cayese hasta la cintura. Lo reemplazó con las palmas de las manos. Le acarició los pezones endurecidos y después se metió uno de ellos en la boca.

Francesca gimió y arqueó la espalda mientras enterraba los dedos en su grueso pelo castaño. Luego hizo que subiese a besarla de nuevo en la boca.

Liam no volvió a pensar en el calor, en el sudor ni en que el ascensor estaba estropeado, sino que se perdió en la placentera exploración de su cuerpo.

Y cuando notó que ella bajaba las manos por su estómago y las introducía por debajo de su ropa interior para acariciarle la erección, perdió por un momento la noción del tiempo y del espacio.

Y dio gracias a que hubiese cortes de luz.

**

Francesca no estaba segura de lo que le había pasado, pero lo estaba disfrutando. Tal vez fuese el hecho de estar encerrada en aquella cárcel de calor pero, en cualquier caso, le daba igual. También tenía algo que ver con Liam.

Evidentemente, era guapo y rico, pero había salido con otros hombres así en Washington. Liam tenía una intensidad, una manera de llevar la empresa, e incluso a ella, diferentes.

Había luchado contra la atracción que sentía por él desde el principio, pero al ver que se quitaba la camisa y descubrir su pecho fuerte, los abdominales marcados y una fina capa de vello, se había olvidado de todos los motivos por los que debía resistirse.

Cuando Liam le había dicho que era bella, una parte de ella la había alentado a aprovechar aquella inesperada oportunidad. A dejarse llevar por la atracción, por inadecuada que fuese, y poder guardar un recuerdo muy sexy de aquella tarde.

No obstante, seguía queriendo tener una relación estable y duradera, como la que habían tenido sus padres, que habían estado casados treinta años en una ciudad en la que la celebración de la boda duraba más que el matrimonio.

Liam no era de los que tenían relaciones serias y Francesca lo sabía, pero no pasaba nada. Aquello era solo un desahogo. Una manera divertida de pasar el tiempo mientras volvía la luz. Muy divertida.

Francesca lo abrazó con más fuerza hasta que lo oyó gemir su nombre.

–Te deseo tanto… –murmuró Liam, acariciando la curva de su cintura y quitándole la mano de donde la tenía–. Si sigues haciendo eso, no podré hacer todo lo que quiero hacer contigo.

De repente, a ella se le ocurrió una idea y alargó la otra mano para tomar la botella medio vacía de agua que había a su lado.

–Deja que te refresque un poco –le dijo, echándole el agua por la cabeza.

El agua bajó por el cuerpo de Liam hasta llegar al cuerpo de ella. Era refrescante y divertido.

–Qué bien –comentó Liam, pasándose una mano por el pelo mojado y ayudándose a incorporarse con la otra–, pero no quiero desperdiciarla.

Empezó a lamer las gotas de agua de su pecho y volvió a acariciarle los pezones con la lengua. Después bajó por su estómago, hasta el agua que había quedado recogida en su ombligo. La bebió con tal entusiasmo que Francesca se excitó todavía más.

Los dedos de Liam encontraron la cinturilla de las braguitas y se metieron por debajo, hasta llegar a la parte más sensible de su cuerpo y acariciarla suavemente. Ella no pudo evitar gemir de placer.

Liam le introdujo un dedo completamente y ella pensó que iba a llegar al clímax en ese momento. Sus músculos internos empezaron a contraerse y el placer se fue haciendo insoportable con cada caricia.

–Liam –susurró, pero él no paró, la acarició cada vez con más fuerza.

Francesca gritó y su voz retumbó en el pequeño ascensor. Apretó las caderas contra la mano de Liam y notó cómo todo su cuerpo se estremecía.

Todavía no había recuperado la respiración cuando se oyó un chirrido. El silencio se quebró con el repentino rugido de unos motores, y volvieron las luces al ascensor.

–Tiene que ser una broma –dijo Liam.

Y entonces, con Liam todavía entre sus muslos y la ropa de ambos tirada por todo el suelo, la cabina empezó a descender. Francesca miró rápidamente el panel que había en la pared. Estaba en el piso treinta y tres y bajando.

–Oh, no –gimió, empujando a Liam para que se apartase.

Se incorporó, se puso la falda y se subió el sujetador. No se molestó en intentar ponerse la camisa, pasó directamente a la chaqueta. Liam la imitó, se puso los pantalones y la camisa, se metió la corbata en un bolsillo y se colocó la chaqueta en el brazo.

–Estás todo manchado de pintalabios –le dijo Francesca cuando solo les quedaban diez pisos por bajar.

Él se pasó la mano por el pelo mojado y después se frotó la cara. Aunque no parecía preocuparle lo más mínimo cuál iba a ser su aspecto al salir del ascensor.

Cuando llegaron a la planta baja, las puertas se

abrieron. Y ellos estaban vestidos. Un poco desaliñados, pero vestidos.

Salieron al vestíbulo, donde varios operadores y guardias de seguridad ya los estaban esperando.

–¿Están bien? –preguntó uno de ellos.

Liam miró a Francesca y esta notó calor en las mejillas. Él seguía teniendo la cara manchada de pintalabios rojo, pero no parecía importarle.

–Estamos bien –respondió Liam–, pero tenemos calor, hambre y nos alegramos de haber podido salir de ahí. ¿Qué ha ocurrido?

–No lo sé, señor. Toda la isla se ha quedado sin electricidad. Tal vez hayamos encendido todos el aire acondicionado por primera vez. ¿Seguro que no necesitan nada? Ha debido de ser horrible estar tres horas ahí encerrados.

–Yo estoy bien –insistió Francesca.

La expresión del operario la hizo despertar de su ensoñación apasionada.

Había estado a punto de acostarse con su jefe. Su nuevo jefe.

El primer día, después de haber pasado toda la mañana discutiendo con él. El calor debía de haberla hecho delirar.

Menos mal que los habían interrumpido antes de ir demasiado lejos. En esos momentos, lo único que quería era tomar un taxi y volver a su hotel, darse una ducha para quitarse el olor de Liam de su piel y ponerse ropa limpia.

–¿Pueden llamar un taxi para que vaya a mi hotel? –preguntó.

El operario llamó a uno de los porteros.

–Por supuesto. A lo mejor tarda un poco porque los semáforos han estado sin funcionar y ha estado todo atascado.

Sin mirar a Liam, Francesca fue hacia la puerta y salió a esperar el taxi en la acera.

–¡Qué inoportuno! –comentó Liam a sus espaldas.

–En ocasiones, el destino evita que uno haga cosas que no debe hacer.

Liam se puso a su lado, pero Francesca no podía mirarlo. Si lo hacía, le temblarían las rodillas y la determinación.

–Yo preferiría considerarlo una breve interrupción. ¿Adónde vas?

–Adonde iba antes de que se parase el ascensor: a mi hotel. A darme una ducha y trabajar un rato. Sola –especificó, por si no había quedado lo suficientemente claro.

–¿Tienes planes para la cena?

–Sí –mintió.

Liam se quedó observándola un minuto. Francesca notó cómo sus ojos la estudiaban, pero mantuvo la mirada al frente.

–Dijiste que la situación no se enrarecería, que ambos sabíamos lo que era y que lo que ocurriese en el ascensor se quedaría en el ascensor.

Francesca se giró por fin a mirarlo. Intentó no clavar la vista en sus ojos azules, ni en el pelo rizado, y todavía mojado, para no volver a pensar en lo que habían estado a punto de hacer.

–Eso es. Por eso no quiero salir a cenar ni a tomar algo contigo. Ni tampoco quiero ir a tu casa a retomarlo donde lo hemos dejado. Lo que ha ocurrido en el ascensor se ha quedado ahí y la oportunidad ha pasado. Aprecia el momento por lo que ha sido.

–No hemos terminado –insistió él–. Y me gustaría hacerlo.

–No todos los proyectos se terminan –replicó Francesca, y vio doblar la esquina a un taxi vacío.

–Venga, Francesca. Deja que te invite a cenar esta noche. Aunque sea solo para darte las gracias por la barrita de cereales. Como amigos. Te lo debo, ¿recuerdas?

Francesca no creyó en ningún momento que Liam la estuviese invitando a cenar solo para darle las gracias. Cenarían en algún lugar elegante, beberían vino y, antes de que se diese cuenta, estaría otra vez desnuda.

Liam le gustaba, pero tenía que mantener las distancias con él. Era el nuevo propietario de ANS. Además, todavía no habían resuelto sus diferencias en relación al presupuesto.

El portero le abrió la puerta del taxi y ella avanzó.

–Espera –le dijo Liam, volviendo a ponerse a su lado–. Si vas a dejarme aquí solo, al menos podrías decirme qué es lo que me has llamado esta mañana en la junta.

Francesca sonrió. Probablemente, eso lo haría desistir.

–Está bien –accedió, subiéndose al taxi y bajando la ventanilla–. Te llamé *figlio di un allevatore di maiali.* Quiere decir «hijo de porquero». Aunque traducido no tiene el mismo efecto.

Liam frunció el ceño y retrocedió un paso.

–Pues yo diría que tiene bastante efecto –comentó en tono ofendido.

Francesca se dijo que no se iba a sentir culpable. Se lo había merecido.

–Que pase buena tarde, señor Crowe –se despidió antes de que el taxi se pusiese en marcha y desapareciese en el tráfico.

Capítulo Tres

Liam acababa de salir de la ducha cuando oyó que sonaba su teléfono móvil. La melodía era la de *God Save the Queen*. ¿Cómo podía haberse enterado su tía Beatrice de que estaba en Manhattan?

Se puso la toalla alrededor de la cintura y entró en el dormitorio.

–¿Dígame? –respondió, después de haber suspirado.

–Liam –le dijo su tía–. ¿Estás bien? Me han dicho que te has pasado toda la tarde atrapado en un ascensor.

–Estoy bien. Hambriento, pero bien. Iba a…

–Excelente –lo interrumpió ella–. En ese caso, cenaremos juntos. Tengo que hablar de algo importante contigo.

Liam contuvo un gemido. Odiaba comer en casa de su tía Beatrice. Sobre todo, porque tenía que escuchar cómo criticaba a la familia. Aunque, en realidad, casi todos le caían mejor a Beatrice que a él, porque siempre le daban la razón. Y con motivo. Tía Beatrice tenía dos mil millones de dólares y era soltera y sin hijos. Todo el mundo estaba deseando conseguir algo.

Todos menos él, que era educado y distante. No necesitaba más dinero. Al menos, no lo había necesitado hasta que había comprado ANS. No había tenido la liquidez necesaria para hacerse con la mayoría de las acciones rápidamente, así que había tenido que pedirle a su tía que invirtiese también, ya que había otras personas interesadas, incluidos algunos buitres, como Ron Wheeler, especialista en dividir negocios para después venderlos. Juntos, controlaban la cadena y, al haberle trasferido su derecho a voto, tía Beatrice le había dado el mando de la empresa.

Liam tenía la intención de ir comprándole las acciones con el tiempo, pero cuando pudiese hacerlo.

–La cena es a las seis –le dijo esta.

–Sí, tía Beatrice. Nos vemos a las seis.

Colgó el teléfono, miró el reloj y se dio cuenta de que no llegaría a tiempo si iba en coche, dado que a esas horas siempre había mucho atasco, así que iría andando.

Era una suerte que Francesca hubiese rechazado su invitación, así, no tenía que anular la cena con ella. Cosa que le habría apenado mucho, a pesar de saber lo que le había llamado por la mañana.

–Hijo de porquero –murmuró para sí mientras se vestía.

Decidió ponerse un traje gris, camisa violeta y no llevar corbata. Odiaba las corbatas y solo las utilizaba cuando era estrictamente necesario. Esa mañana había querido parecer importante. Había querido que la junta directiva pensase que tenía el control de la empresa, pero en cuanto la situación se normalizase, dejaría de ponerse corbata.

Esa noche no se la puso porque supo que eso no ofendería a tía Beatrice, a pesar de que a esta seguían gustándole las cenas formales, con los hombres de traje y las mujeres con vestido y medias. Aunque hacía tiempo que había tirado la toalla con la familia. No obstante, Liam supo que le gustaría verlo de traje, y que no llevar corbata sería un pequeño signo de rebelión por su parte, pero tampoco quería que su tía pensase que podía hacer que comiese de su mano.

Ya había llamado al timbre cuando recordó que su tía le había comentado que quería tratar un tema importante con él. No supo cuál podía ser, pero esperó que no se tratase de salir con la hija de alguien. Tía Beatrice estaba empeñada en que se casase y formase una familia.

–Buenas tardes, señor Crowe –lo saludó Henry, el mayordomo, nada más abrir la puerta.

Henry llevaba toda la vida trabajando para su tía. Ya tenía más de setenta años, pero seguía tan alegre como siempre.

–Buenas noches, Henry. ¿Cómo está mi tía esta noche? –le preguntó en voz baja.

–Se ha pasado toda la tarde dándole vueltas a la cabeza, señor. Y ha hecho un par de llamadas cuando ha vuelto la luz.

–¿Tienes idea de lo que la ronda? –le preguntó Liam con el ceño fruncido.

–No, pero supongo que tiene que ver con usted, porque es el único invitado a cenar esta noche.

Eso era muy extraño, porque la tía Beatrice solía invitar al menos a dos miembros de la familia a cenar. Le gustaba ver cómo ambos se batían por su aceptación. Era un ejercicio ridículo. A Liam le sorprendía lo que la familia era capaz de hacer solo porque tía Beatrice se lo pedía. Su abuelo, el hermano de Beatrice, no había tenido mucha relación con ella, así que sus descendientes, tampoco. Había sido después de la muerte del resto de familiares de su generación cuando tía Beatrice había asumido el papel de matriarca.

Liam guardó silencio mientras Henry lo conducía hasta el comedor. Cuando iban a cenar varias personas, tía Beatrice los recibía en el salón y, después, cuando todos habían llegado, pasaban al comedor. Al parecer, como solo estaba él, esa noche se había ahorrado el trámite.

Tía Beatrice estaba sentada en su sitio, a la cabecera de la mesa, tan majestuosa como siempre. Llevaba el pelo blanco perfectamente peinado, un vestido rosa y un collar de zafiros rosas, a juego con los pendientes. No sonrió al verlo entrar. En su lugar, lo miró de arriba abajo y apretó los labios al darse cuenta de que no llevaba corbata.

–Buenas tardes, tía Beatrice –le dijo él, sonriendo de oreja a oreja.

Rodeó la mesa y le dio un beso en la mejilla antes de sentarse en la silla que había a su derecha.

–Liam –lo saludó ella sin ningún cariño.

Aquella falta de emoción, aquella formalidad y tensión habían hecho que Liam pensase siempre en ella como en una reina. No se la imaginaba casada y con hijos. Los niños habrían exigido risas y suciedad, dos cosas inimaginables en aquella casa.

Henry sirvió vino en las copas y se fue a la cocina a por el primer plato. Liam pensaba que, a su edad, tenía que estar sentado en un sillón, viendo la televisión y disfrutando de su jubilación, no sirviéndole la comida a personas que podían servirse solas. Henry no se había casado nunca y no tenía más vida que la de aquella mansión.

—¿Cuándo vas a dejar que Henry se jubile? —preguntó—. El pobre merece tener algo de tiempo libre, antes de que se te caiga muerto en el recibidor.

—Le encanta estar aquí —respondió tía Beatrice—. No quiere dejarme. Y, además, Henry jamás se moriría en el recibidor. Sabe lo cara que es esa alfombra oriental.

Liam suspiró y dejó el tema. Henry les sirvió la sopa y volvió a desaparecer.

—Bueno, ¿para qué querías que viniese esta noche?

Lo mejor sería ir directo al grano. No tenía sentido esperar al postre.

—Hoy he recibido una llamada de un hombre llamado Ron Wheeler.

Liam se puso tenso y se quedó con la cuchara en el aire. Ron Wheeler compraba empresas en dificultades para reestructurarlas. Eso solía implicar el despido de al menos la mitad de los empleados y el recorte de beneficios de los que quedaban.

Después, dividía la empresa en varias partes más pequeñas y las vendía por más de lo que valía la empresa entera. A nadie le gustaba oír su nombre.

–¿Y qué quería?

–Se ha enterado de que he comprado una parte importante de las acciones de Graham Boyle. Y me ha hecho una oferta muy generosa por ellas.

Al oír aquello, Liam dejó la cuchara, salpicando de sopa el inmaculado mantel. Henry se acercó corriendo a limpiarlo y le llevó otra cuchara, pero a Liam se le había quitado el apetito.

–Tía Beatrice, tu participación es más amplia que la mía. Si le vendes tus acciones, será él quien controle la empresa. La cadena entera estará en peligro.

Ella asintió y dejó su cuchara.

–Soy consciente. Y sé lo importante que es esa empresa para ti, pero también quiero que sepas lo importante que es la familia para mí. No voy a vivir eternamente, Liam. Esta familia necesita a alguien fuerte e inteligente al frente. No hace falta que te diga que la mayoría de nuestros familiares son idiotas. Mis dos hermanas nunca tuvieron sentido común y sus hijos tampoco lo tienen. Mi padre lo sabía, por eso nos dejó casi todo el dinero a tu padre y a mí. Sabía que el resto se lo gastarían todo.

Liam no quería saber adónde iba a ir a parar aquella conversación. No podía ser nada bueno.

–¿Y qué tiene eso que ver con Ron Wheeler?

–Que pienso que eres la persona adecuada para quedarse al frente de la familia cuando yo falte.

–No digas eso. Te quedan muchos años por delante.

Sus fríos ojos azules se clavaron en él y, por un momento, Liam creyó ver emoción en ellos.

–Todo el mundo se muere, es mejor estar preparado para la ocasión. Quiero que tú ocupes mi lugar y seas el patriarca de la familia. Y quiero que heredes todo lo que tengo y que actúes como albacea de los fondos familiares.

Liam se quedó pálido. No quería semejante responsabilidad.

–No quiero tu dinero, tía Beatrice. Ya lo sabes.

–Exacto. Sé lo que quieres. Quieres ANS y no la tendrás mientras yo posea parte de las acciones. Podría vendérselas a Ron Wheeler o a cualquier otra persona que me haga una buena oferta.

Liam le dio un buen sorbo a su copa de vino para intentar calmar los nervios. Era la primera vez que tía Beatrice lo amenazaba. Hasta entonces, no había podido hacerlo porque nunca había necesitado su ayuda ni su dinero, pero había cometido un grave error. Jamás tenía que haberle pedido que comprase las acciones de ANS.

–¿Por qué ibas a hacer algo así? Te dije que te compraría esas acciones por el dinero que pagaste, o por más, si valen más.

–Porque quiero que sientes la cabeza. No puedo permitir que dirijas esta familia siendo un golfo. Quiero que te cases, que tengas una vida estable.

–Solo tengo veintiocho años.

–Es la edad perfecta. Tu padre se casó con veintiocho, lo mismo que tu abuelo. Ya has terminado los estudios, tienes éxito profesional. Podrás conseguir a la mujer que quieras.

–Tía Beatrice, no estoy preparado para…

–Te casarás este mismo año –insistió ella muy seria–. Y en tu primer aniversario de bodas te regalaré las acciones de ANS y te nombraré mi único heredero. Entonces podrás respirar tranquilo, sabiendo que la cadena es tuya, y yo sabré que la familia estará en buenas manos cuando yo falte.

–No puedes obligarme a casarme –le dijo Liam.

–Tienes razón. Eres un adulto y tomas tus propias decisiones. Puedes hacer lo que quieras: casarte y conseguir la empresa, y más dinero del que la mayoría de las personas podrían soñar, o no casarte y le venderé mis acciones a Ron Wheeler. Sé que es una decisión difícil.

Y, dicho aquello, volvió a ponerse a comer, como si acabase de hacer un comentario acerca del tiempo.

Liam no supo qué decir. No estaba acostumbrado a que nadie le dijese lo que tenía que hacer con su vida. Pensó que su tía debía de haber planeado aquello cuando él le había pedido que comprase las acciones de ANS. Apoyó la cabeza en la mano y cerró los ojos.

–Si no conoces a ninguna señorita adecuada, yo puedo hacerte algunas recomendaciones.

Además, Liam estaba seguro de que su tía disfrutaría con eso, pero no iba a permitirle que le dijese con quién iba a casarse.

–Creo que esa parte puedo solucionarla solo, gracias. Estoy saliendo con alguien –añadió, con la esperanza de que su tía no le preguntase ningún detalle.

–En ese caso, ha llegado el momento de que formalicéis la relación. Tienes de aquí a un año para casarte. Si fuese tú, lo haría lo antes posible. Cuanto antes te cases, antes conseguirás ANS.

Francesca había evitado deliberadamente a Liam desde que habían vuelto a Washington, pero ya no podía seguir haciéndolo. Necesitaba saber si iban a patrocinar la gala benéfica de Youth in Crisis o no. Solo faltaba una semana y media. En realidad, ya era demasiado tarde para echarse atrás, pero si Liam insistía en que no podían participar, tenía que saberlo cuanto antes.

–Buenas tardes, Jessica –saludó a su secretaria nada más llegar.

La otra mujer la miró con cautela.

–No creo que debas entrar ahí.

Francesca frunció el ceño. No sabía si la advertencia era para ella en concreto o para cualquiera en general. No era posible que Liam estuviese enfadado después del episodio del ascensor. ¿O sí?

–¿Por qué?

–Lleva de mal humor desde que nos marchamos de Nueva York. No sé qué le pasa, pero creo que es un tema familiar.

–¿Todo el mundo está bien?

Jessica asintió.

41

–No me ha pedido que le mande flores a nadie, así que supongo que sí, pero no quiere que le pase ninguna llamada. Lleva toda la mañana sentado en su despacho, mirando su agenda y hablando solo.

Interesante.

–Bueno, pues lo siento, pero tengo que hablar con él.

–Como quieras –le dijo Jessica, tocando el botón del intercomunicador–. Señor Crowe, la señorita Orr quiere verlo.

–Ahora no –rugió él desde el otro lado de la línea.

Luego, después de una breve pausa, añadió:

–Bueno, da igual, que entre.

Jessica se encogió de hombros.

–No sé qué le pasa, pero entra.

Francesca respiró hondo antes de abrir la puerta. Se sentía segura de sí misma, iba a conseguir lo que quería. Iba vestida con su mejor traje de pantalón, de color verde esmeralda, un pañuelo de seda al cuello y el pelo recogido en un moño.

Abrió la puerta y vio a Liam sentado frente a su escritorio. Tal y como Jessica le había contado, estaba pasando páginas de la agenda y tomando notas en un papel. Levantó la vista al oírla entrar y cerró la agenda.

–Buenos días, señorita Orr –la saludó en tono mucho más formal y educado que la última vez que habían hablado.

–Señor Crowe. Quería hablarle de la gala de Youth in Crisis. No tenemos mucho tiempo para…

–Siéntate, Francesca.

Ella se quedó sorprendida por la interrupción. Sin saber qué hacer, se acercó al escritorio para sentarse enfrente de Liam, pero él se levantó y le indicó unos sofás que había en la otra punta del despacho.

–Ven aquí, por favor. No me gusta hablar con nadie con el escritorio de por medio.

Francesca se sentó en el sillón de cuero que él le había indicado y observó cómo Liam se acercaba a la pequeña nevera que había en uno de los armarios, junto a su mesa.

–¿Quieres beber algo?

–Nunca bebo mientras trabajo.

Liam se giró hacia ella con el ceño fruncido y una botella de cerveza sin alcohol en la mano.

–¿Nada? Tengo agua mineral, cerveza sin alcohol, mi favorita, y refrescos de limón. Yo tampoco bebo en el trabajo, a pesar de que en estos momentos no me importaría estar borracho.

Sacó una botella de agua de la nevera y se la tendió.

–Por la que compartiste conmigo en el ascensor.

Ella alargó la mano para aceptarla, pero entonces recordó la imagen del agua cayendo sobre su cabeza y escurriéndose por su pecho y se maldijo. Estaba segura de que Liam había hecho aquello para desestabilizarla. Hizo un esfuerzo por controlarse, tomó la botella y la dejó en la mesita que tenía delante.

Liam se sentó en el sofá que había al lado con su cerveza sin alcohol.

–Tengo que hacerte una propuesta.

A Francesca no le gustó cómo sonaba aquello.

–Ya te dije que no quería salir a cenar contigo.

Liam la miró fijamente con sus bonitos ojos azules mientras bebía cerveza.

–No te estoy pidiendo que cenes conmigo, te estoy pidiendo que te cases conmigo.

Francesca se alegró de no estar bebiendo el agua, porque se habría atragantado.

–¿Que me case contigo? ¿Estás loco?

–Shh –le dijo él, dejando la botella en la mesa–. No quiero que nos oigan. Esto es muy importante. Y estoy hablando completamente en serio. Quiero que seas mi prometida. Al menos, por unos meses.

–¿Por qué yo? ¿Qué ocurre?

Liam suspiró.

–Mi posición en la empresa es vulnerable, me temo. No podía comprar todas las acciones de Graham, así que le pedí a mi tía que adquiriese la mayoría. Esta me ha amenazado con vendérselas a Ron Wheeler si no me caso de aquí a un año.

Ron Wheeler. A Francesca no le gustaba ni siquiera oír ese nombre. Si Wheeler se hacía con la cadena, tanto ella como todo su equipo serían los primeros en salir por la puerta. Y no serían los últimos.

–¿Por qué hace eso tu tía?

–Quiere que me case y que siente la cabeza. Quiere que sea el patriarca de la familia cuando ella se muera y piensa que no es apropiado que lo haga siendo un golfo. En realidad, espero que sea un farol y que, si me prometo, se tranquilice. Mien-

44

tras tanto, hablaré con mi asesor para ver si puedo conseguir un crédito y comprarle las acciones yo. No creo que tengamos que llegar a casarnos.

–Eso espero –replicó ella, cuyas ideas acerca del matrimonio no tenían nada que ver con todo aquello–. ¿Y no puedes pedírselo a otra persona? Hace menos de una semana que nos conocemos.

Liam negó con la cabeza.

–He repasado toda la agenda y no hay ninguna candidata adecuada. Todas las mujeres que conozco pensarían que es una oportunidad para crear una familia de verdad, no lo verían como un acuerdo comercial. Por eso pienso que eres la persona ideal.

–Es decir, que se trata solo de un acuerdo comercial y no tienes ninguna intención de intentar acostarte conmigo, ¿no?

Liam se inclinó hacia delante y sonrió con malicia.

–Yo no he dicho eso, pero lo cierto es que acostarme contigo no es mi prioridad en estos momentos. Te lo pido a ti por varias razones. Para empezar, porque me gustas y no me desagradará pasar tiempo contigo. Mi tía espera que la relación parezca auténtica, y se dará cuenta de la verdad si tengo que fingir. Yo creo que, después de lo ocurrido en el ascensor, entre nosotros hay química suficiente para conseguir parecer una pareja. Y, para continuar, sé que puedo contar contigo porque tú también quieres algo de mí.

Francesca abrió la boca para contradecirlo, pero no lo hizo.

–¿Te refieres a la gala de Youth in Crisis?

Él asintió.

–Si Ron Wheeler se hace con esta empresa, todo aquello por lo que tanto has trabajado se destruirá. Lo único que puedo hacer para proteger esta empresa y a sus empleados es prometerme lo antes posible. Si me ayudas, ANS patrocinará la gala benéfica de Youth in Crisis. Hasta yo haré una gran donación con mi dinero. Lo consideraré una inversión, por el futuro de la empresa. Y lo único que tendrás que hacer tú es aceptar un bonito anillo de diamantes y tolerar mi compañía hasta que mi tía se calme.

A Francesca aquello le pareció como hacer un pacto con el diablo. Tenía que tener trampa.

–Has dicho que la relación tiene que parecer auténtica. Define «auténtica».

Liam se apoyó en el respaldo del sillón y cruzó las piernas.

–Nadie se va a meter en la cama con nosotros, Francesca, y yo no voy a obligarte a hacer nada que no quieras hacer, pero tendremos que convencer a la gente de que estamos enamorados.

Ella sacudió la cabeza y bajó la vista a su regazo. La propuesta la había sorprendido.

Sin embargo, la idea de ser la prometida de Liam, aunque fuese solo de manera temporal, no le pareció tan horrible. Se habría mentido a sí misma si no hubiese reconocido que había pensado mucho en su encuentro en el ascensor, pero ¿su prometida? ¿Públicamente? ¿Qué iba a decirle a su familia? No podía contarles la verdad.

¿Y a sus amigos? Tendría que mentirle a todo el mundo.

Pero la alternativa era impensable. ANS y sus empleados le importaban demasiado para permitir que la empresa cayese en manos de Ron Wheeler. Si ayudaba a Liam con su plan, protegería a la empresa y podría patrocinar la gala. Cuando aquel acuerdo dejase de ser necesario, contaría a sus familiares y amigos que la relación se había roto. No era tan grave. En realidad, no iban a casarse.

Levantó la vista y vio a Liam acercándose a ella a gatas. Estaba tan guapo con aquel traje azul marino... Liam le tomó las mano y le acarició suavemente la piel, y ella pensó que, tocándola así, podría convencerla de cualquier cosa.

—Francesca Orr —le dijo, sonriendo de manera encantadora—. Sé que solo soy el humilde hijo de un porquero, pero ¿me harías el honor de ser mi prometida provisional?

Capítulo Cuatro

Liam vio la expresión de horror en el rostro de Francesca mientras esperaba una respuesta. Era evidente que se estaba librando una batalla en su cabeza. Él la comprendía. También estaba teniendo que hacer más sacrificios de los que quería por la empresa. Se sentía culpable por mezclarla en aquello, pero pensaba que era su mejor opción. Si había sido capaz de salir de aquel ascensor como si nada hubiese pasado, podía hacer lo mismo con su compromiso. Después, cada uno seguiría su camino y ambos habrían obtenido su objetivo.

Los ojos marrones oscuros de Francesca se clavaron en él un instante, y luego bajaron a su hombro. La expresión de preocupación se suavizó y Francesca abrió la boca, sorprendida.

Confundido, Liam bajó la vista a su chaqueta y vio una mariquita. Había abierto la ventana del despacho esa mañana, para respirar porque se sentía asfixiado por la presión. El insecto debía de haber entrado entonces.

Francesca separó las manos de las suyas y alargó una para tomar a la mariquita. Se levantó de su asiento y fue hacia la ventana, la abrió de par en par y tendió la mano hacia el sol para verla volar hacia el jardín.

Luego se quedó varios minutos allí, mirando por la ventana.

Liam seguía de rodillas, preguntándose qué era lo que acababa de ocurrir, cuando la oyó decir:

—Sí, seré tu prometida provisional.

Él se puso en pie y se acercó a ella en un par de zancadas.

—¿De verdad?

Francesca se giró. Estaba tranquila, decidida. Estaba preciosa en esos momentos. Serena. El traje verde era casi como una joya sobre su piel morena. Liam deseó quitarle las horquillas del pelo para soltárselo. Le gustaba más con el pelo suelto.

—Sí —repitió ella—. Es lo mejor para todos.

Liam se sintió exultante al oír su respuesta y, al mismo tiempo, su cambio de opinión lo confundió. Por un momento, había estado seguro de que iba a decirle que no. De hecho, ya estaba intentando idear un plan B. Había pensado ofrecerle una cantidad exorbitante de dinero. Y, si eso no funcionaba, averiguaría si Jessica, su secretaria, estaba casada.

—¿Qué te ha hecho decidirte?

—La mariquita. Dan buena suerte. Si ha aterrizado en ti es porque vas a tener suerte. Ha sido una señal de que tenía que aceptar tu propuesta.

Liam prefirió no cuestionar sus supersticiones, siempre y cuando le favoreciesen.

—Bueno, pues recuérdame que le dé las gracias la próxima vez que la vuelva a ver.

Francesca se echó a reír.

–Yo diría que le debes un cheque al departamento de entomología de la universidad de Georgetown.

–Se lo enviaré. Después de llevar a mi prometida a comer y a elegir el anillo de pedida.

Ella levantó la cabeza para mirarlo.

–¿Tan pronto?

–Sí –insistió Liam–. Cuanto antes se entere mi tía de esto, mejor. Lo que significa ir a comprar el anillo, anunciar el compromiso a la prensa, aquí y en Nueva York y, por supuesto, voy a ponerlo en mi estado de Facebook antes de que se termine el día.

Francesca fue abriendo los ojos cada vez más.

–Tendré que hacer un par de llamadas antes de que la noticia llegue a la prensa. No quiero que mi familia se entere de otro modo. No se lo van a esperar.

Liam asintió. Era comprensible. Él también tenía que hacer un par de llamadas. Primero, a su madre y a su hermana pequeña. Ambas vivían en Manhattan.

No hablaban mucho, pero tenía que darles la noticia. Sus padres habían vivido bien y habían viajado mucho hasta el fallecimiento de su padre, tres años antes en un accidente de tráfico. Desde entonces, su madre había estado en su casa de Manhattan, casi recluida. Él había imaginado que necesitaba tiempo, pero después se había dado cuenta de que no estaba bien. Su hermana se había ido a vivir con ella para controlar la situación, pero no la había ayudado mucho.

Cuando hablaba con ellas, solía ser él quien las llamaba. Tal vez la noticia de su compromiso animase a su madre. No le gustaba tener que mentirle en algo así, pero si conseguía alegrarla, merecería la pena.

Liam se había preguntado muchas veces, sobre todo durante la última semana, cómo hubiesen sido las cosas si su padre no hubiese fallecido en aquel accidente. ¿Dónde estaría todo el mundo en esos momentos? Tal vez la tía Beatrice hubiese querido pasarle a su padre las riendas de la familia y él no estaría metido en aquel lío.

No tenía sentido soñar con aquello, pero eso le recordó cuál debía ser su siguiente llamada. Después de hablar con su madre, tenía que trasladar a tía Beatrice la «feliz» noticia. No tenía que contárselo a muchas personas más aunque, a juzgar por la expresión de Beatrice, ella tenía el problema contrario. Debía de tener una familia enorme, muy unida. Y anunciar su compromiso tan repentinamente iba a causar una gran conmoción.

–Sé que es importante. Y que no es lo que esperabas cuando has entrado aquí hoy, pero todo va a salir bien.

Se acercó a ella y le puso las manos en la cintura. Francesca se dejó abrazar a regañadientes, pero apoyó las manos en la solapa de su chaqueta y mirándolo a los ojos le dijo:

–Estoy segura de que sí.

Aunque su mirada decía lo contrario. Liam supo que tenía que sosegarla y conseguir que se sintiese más tranquila con aquella situación. Tenía que demostrarle que eran lo suficientemente compatibles como para salir airosos de aquello. Acercó los labios a los suyos muy despacio, dándole tiempo a apartarse si necesitaba hacerlo. No lo hizo. Dejó que tocase sus labios y se inclinó hacia él.

El beso no fue como los del ascensor, donde se habían besado apasionada, desesperadamente. Aquel beso fue suave, amable y tranquilizador. Estaban empezando a conocerse. Francesca sabía a canela y a café. Gimió levemente de placer y Liam notó calor por todo el cuerpo. Recordó los gritos que había dado en el ascensor y sintió ganas de continuar, pero supo que no era el momento. No quería que cambiase de opinión.

No podía arriesgarse a espantarla. Ambos necesitaban que aquel falso compromiso funcionase. Y, si lo hacía, a lo mejor tenía la oportunidad de volver a tocarla. La idea le dio fuerzas para apartarse.

Francesca se tambaleó, las mejillas se le tiñeron de rosa y los ojos se le pusieron ligeramente vidriosos. Respiró hondo para recuperar la compostura y retrocedió.

—Bueno —comentó riendo—, yo creo que no vamos a tener problemas de credibilidad.

Liam sonrió.

—No. ¿Tienes hambre?

Ella se estiró la chaqueta y se encogió de hombros.

—Un poco.

—Si es solo un poco, primero iremos a comprar el anillo. Así, si nos encontramos con alguien mientras comemos, podremos compartir la feliz noticia.

–Tengo que ir a buscar el bolso a mi despacho. Nos vemos en…

–¿El ascensor? –terminó Liam sonriendo.

Ella se ruborizó.

–Sí. Nos vemos en el ascensor.

Dos horas después salían de la joyería Pampillonia Fine Jewelry y, sinceramente, Francesca estaba agotada. Jamás habría imaginado que comprar joyas sería tan cansado. Casi deseó que Liam le hubiese hecho la propuesta anillo en mano, como hacían casi todos los hombres, para haberle ahorrado la tediosa decisión.

En su lugar, habían pasado dos horas discutiendo por nimiedades. A ella le preocupaba que Liam fuese a gastarse demasiado dinero. En especial, teniendo en cuenta que era un compromiso falso. Este había insistido en que Francesca tenía que elegir un anillo grande, que se viese desde lejos. Aunque fuese un compromiso falso, tenía que ser ostentoso, para que personas como su tía reparasen en él.

Al final Francesca se había cansado de discutir y habían llegado a un acuerdo. Había escogido el mismo anillo que habría elegido si aquella relación fuese real y tuviese que llevarlo puesto el resto de su vida. Cuando se marcharon, estaba segura de que en la joyería habían pensado que iban a casarse de verdad.

Y cuando todo terminó, Francesca se encontró con un diamante de dos quilates, talla esmeralda, rodeado de pequeños diamantes y montado en platino. Era un anillo precioso y, de camino al restaurante en el que iban a comer, pensó que no era posible que lo llevase puesto. El peso de la joya hacía que levantase la mano una y otra vez para mirarla.

Siempre había soñado con que, algún día, un hombre le regalaría un anillo así. El anillo era perfecto, pero todo lo demás no. Su vida había dado un vuelco surrealista desde esa mañana.

–¿Ya tienes hambre? –le preguntó Liam al llegar a un restaurante con terraza fuera.

Era perfecto para comer en aquel día de principios de mayo, agradable y soleado, con una ligera brisa.

En realidad, Francesca todavía no tenía hambre. Su estómago aún no había asimilado los recientes acontecimientos. Pero necesitaba comer si no quería sufrir una bajada de azúcar y tener que pasarse la tarde comiendo galletas de la máquina del trabajo.

–Podría comer algo. Creo.

Siguieron a la camarera, que los llevó hasta una mesa para dos que había en la acera. A pesar de que fuera se estaba muy bien, Francesca habría preferido sentarse dentro. Por la calle pasaba tanta gente que estaba segura de que iban a encontrarse con alguien conocido. Aunque eso también podía ocurrirle dentro. Entre Liam y ella conocían a muchas personas en aquella ciudad. Y

Francesca todavía no estaba segura de ser capaz de fingir que estaba feliz y recién comprometida.

–Pues yo me muero de hambre –comentó él, tomando la carta.

A Francesca no le sorprendió. Siempre parecía tener hambre.

–¿No has desayunado?

Él negó con la cabeza.

–Lo cierto es que casi no he comido desde que cené en casa de mi tía. Me dejó sin apetito.

–Ya veo.

Ella no vio nada en el menú que le apeteciese, así que se decidió por una ensalada de espinacas con pollo. Al menos, comería algo sano.

Al fin y al cabo, iba a tener que meterse en un vestido de novia.

La idea la sorprendió incluso a ella. ¿De dónde había salido eso?

–¿Estás bien? –le preguntó Liam.

–Sí –respondió ella–. Acabo de acordarme de que tengo que hacer algo cuando vuelva a mi despacho.

Liam asintió y siguió leyendo la carta. Francesca sacudió la cabeza y cerró los ojos. No habría boda ni vestido de novia. Por reales que pareciesen sus besos y por rápidamente que respondiese su cuerpo a las caricias de Liam. No importaba que llevase en el dedo un anillo que valiese tanto como un piso de lujo. El compromiso era falso. Era un acuerdo comercial, nada más, aunque ella tuviese que contar otra cosa a sus amigos y familiares.

El camarero les tomó nota y se marchó con las cartas. Francesca, que se sentía incómoda, bebió agua y miró el anillo. No sabía qué decirle a su prometido.

–Ahora que ya está arreglado lo del compromiso, quería hablarte de otra cosa.

Ella lo miró con el estómago encogido. No podría soportar más sorpresas ese día.

–No, Liam. Me niego a tener un hijo tuyo para hacer feliz a tu tía.

Él se echó a reír y sacudió la cabeza.

–No hará falta, te lo prometo. Quería hablarte de algo que me ronda la cabeza desde hace días, pero las tonterías de mi tía me han distraído. Quería preguntarte si eres amiga de Ariella Winthrop.

Francesca suspiró. Su amiga Ariella había sido el equivalente al Santo Grial desde que, en enero, durante la fiesta de inauguración del mandato presidencial, se había dado la noticia de que era la hija del nuevo presidente. Desde entonces, habían sido muchos los periodistas que le habían preguntado por Ariella. Muchos eran sus amigos, pero eso no significaba que fuese a contarles nada de ella. Esta, que había sido adoptada, no había sabido quién era su padre biológico hasta un mes antes, cuando había recibido los resultados de las pruebas de ADN.

–Sí, somos amigas –respondió con cautela.

–Me preguntaba si podrías hablar con ella en mi nombre. Tengo una idea que tal vez le interese, pero antes quería contártela a ti. Sé que algunos periodistas de ANS han sido los culpables de todo el escándalo del presidente Morrow, y me gustaría intentar arreglarlo de alguna manera.

–¿Quieres enviarles una cesta con fruta? –le sugirió ella.

–Me gustaría hacer un programa con Ariella y el presidente.

A Francesca aquello le pareció una idea horrible.

–Creo que es mejor la cesta de fruta. De verdad.

Liam levantó la mano.

–Escúchame. Sé que en otras cadenas se están dando muchos rumores e informaciones equivocadas, sobre todo, porque los implicados no han hablado con la prensa. Así que quiero darles la oportunidad de aclarar las cosas públicamente.

–La idea me parece ofensiva.

–Por eso te daría a ti el control total del programa. Tú eres su amiga y confía en ti. Podrías trabajar directamente con la secretaria de prensa de la Casa Blanca y aseguraros de que nadie se va a sentir incómodo. Ninguna otra cadena va a darles una oportunidad así. Te lo garantizo.

Francesca no pudo evitar fruncir el ceño. No le gustaba cómo sonaba todo aquello. Si las cosas salían mal, no habría marcha atrás y Ariella jamás se lo perdonaría.

–No sé, Liam.

–Todo el mundo saldría ganando. Ariella y el presidente podrían contar su historia. ANS conseguiría la exclusiva y tendría la oportunidad de compensarlos por el escándalo. No puede salir mal. Tú te ocuparás de que no se convierta en un circo. Es perfecto.

Perfecto para los índices de audiencia, pero Francesca no estaba segura de que la televisión fuese el mejor lugar para que su amiga se reuniese con su famoso padre biológico. Era un momento muy importante para ambos. Un momento privado.

—Prométeme solo que se lo preguntarás. Si no quiere hacerlo, me olvidaré de la idea.

El camarero llegó con sus comidas, interrumpiendo brevemente su conversación.

—Hablaré con ella —admitió Francesca por fin—, pero no puedo prometerte nada. Ariella ha hecho solo una breve declaración, pero ha rechazado todas las entrevistas que le han propuesto hasta el momento.

—Es lo único que te pido. Gracias.

Francesca pinchó un trozo de pollo y una hoja de espinaca.

—Por fin sale a la luz la triste realidad. Solo te quieres casar conmigo por mis relaciones políticas.

—Una acusación completamente infundada —respondió Liam sonriendo—. Me quiero casar contigo por tu cuerpo.

Francesca lo miró a los ojos esperando ver una nota de humor en ellos, pero en su lugar se encontró con deseo. La había mirado de la misma manera en el ascensor, cuando se había quedado casi desnuda. En esos momentos iba vestida de pies a cabeza, pero daba igual. Al parecer, Liam tenía una excelente memoria.

Sintió calor y tuvo que cambiar de postura en la silla. Lo había deseado en el ascensor y, si era honesta consigo misma, seguía haciéndolo. Pero las cosas eran demasiado complicadas. No supo si dejarse llevar por el deseo sería mejor o peor en las nuevas circunstancias.

De repente, tuvo la sensación de que el pañuelo de seda que llevaba al cuello la estaba asfixiando. Tiró de él con nerviosismo.

–Bueno… yo…

Una voz la llamó desde la acera, interrumpiendo su incoherente respuesta.

–Francesca, ¿qué llevas en la mano?

Al otro lado de la barandilla que separaba la terraza del restaurante de la calle estaba su amiga Scarlet Anders. La atractiva pelirroja había montado una empresa de organización de eventos con Ariella y su especialidad eran las bodas y las recepciones. Podía oler un diamante a un kilómetro a la redonda.

–¡Scarlet! –dijo ella sonriendo–. ¿Qué tal estás?

Tenía que cambiar de tema. Su amiga se había dado un golpe en la cabeza y había perdido la memoria una temporada, así que era una pregunta razonable, que le daría tiempo a ella a planear lo que iba a contarle acerca de su compromiso.

Scarlet arrugó la nariz.

–Estoy bien. Los médicos me han dicho que estoy completamente recuperada del accidente, pero deja de hablar de mí y acerca esa mano.

Francesca alargó la mano a regañadientes y dejó que los diamantes brillasen bajo la luz del sol. Scarlet miró el anillo, después a Liam y luego otra vez a ella.

–Te has comprometido con Liam Crowe. Liam Crowe. No sé si sabes que cuando Daniel me pidió que me casase con él, os lo conté a Ariella y a ti prácticamente un segundo después.

Francesca se sintió culpable; aquello era cierto. Y, en otras circunstancias, ella habría hecho lo mismo. Pero aquello no era un compromiso real.

–No me lo esperaba –comentó, sonriendo–. Hemos elegido el anillo justo antes de comer.

Scarlet sonrió.

–Es precioso. Ni siquiera sabía que estuvieseis saliendo juntos. ¿Cómo ha sido?

–Bueno, pues...

Francesca se dio cuenta de que no sabía qué decir. No se habían puesto de acuerdo en lo que iban a contar, ya que no podían contar la verdad.

–Lo cierto es que...

–Empezamos a salir juntos hace un tiempo, cuando yo me interesé por la compra de ANS –intervino Liam–. Dada la situación, preferimos mantenerlo en secreto, pero después de quedarme encerrado en el ascensor con Francesca, me di cuenta de que quería pasar el resto de mi vida con ella.

Scarlet suspiró.

–Qué bonito. No puedo creer que no me lo contaras, pero, en cualquier caso, hacéis muy buena pareja. ¿Cuándo va a ser la fiesta de compromiso? Tienes que dejar que Ariella y yo te la organicemos.

–No –insistió Francesca–. Habéis estado muy ocupadas con la boda de Cara y Max, y, ahora, con la tuya propia.

El expresentador de televisión y la relaciones públicas de la Casa Blanca se habían casado a finales de marzo. Y Daniel, el prometido de Scarlet, le había pedido que se casase con él durante la boda.

–No te preocupes por nosotros –añadió–. No creo que...

–Tonterías –la interrumpió Scarlet–. Insisto. De hecho, voy ahora hacia el trabajo. Le contaré a Ariella la buena noticia y nos pondremos manos a la obra. ¿Cuándo quieres que sea?

–Pronto –respondió Liam en su lugar–. Si es posible, este mismo fin de semana. Estamos deseando compartir nuestra alegría con los amigos y la familia.

Scarlet abrió mucho los ojos, pero no tardó en recuperarse y asentir. Estaba acostumbrada a todo tipo de exigencias por parte de las parejas más poderosas de Washington.

–Seguro que podemos hacerlo. Con tan poco tiempo, será más difícil encontrar el lugar, pero hay un par de personas que me deben un favor. Creo que, para vosotros, estaría bien una fiesta de tarde en un jardín. Con farolillos, un cóctel de champán. Tal vez hasta una barra de helados italianos. ¿Qué os parece?

Francesca se atragantó con el agua.

–Suena estupendamente.

Era cierto. Era justo lo que ella misma habría

elegido. Su amiga la conocía bien. La pena era que fuesen a desperdiciar tanto esfuerzo en un compromiso que no tendría como resultado un matrimonio feliz.

Scarlet parecía emocionada. Francesca se dio cuenta de que ya estaba dándole vueltas a la organización. Flores, comida, música. El buen gusto de su amiga era conocido en todo Washington.

–Os llamaré mañana para concretar los detalles.

–A mí solo dime adónde tengo que enviar el cheque –comentó Liam.

–Por supuesto –respondió Scarlet–. Hasta pronto.

Se colgó el bolso del hombro y desapareció entre la multitud.

Francesca deseó poder tener el mismo entusiasmo. E iba a necesitarlo, si tenía que salir airosa de la situación.

¿Cómo había podido comprometerse a aquello?

Capítulo Cinco

Liam no habían planeado cenar con ella esa noche, pero, después del encuentro con Scarlet, le había parecido absolutamente necesario. En realidad, no sabían nada el uno del otro. No tenían una historia que contar. Cuando todo el mundo se enterase de su compromiso, la gente empezaría a hacer preguntas y los dos tendrían que estar de acuerdo.

Mientras el camarero les tomaba nota, Liam se apoyó en el respaldo de su silla y observó a su prometida. Sabía que era preciosa, guerrera, cariñosa y fascinante. Sabía que la deseaba más que a ninguna otra mujer que hubiese conocido. Y, no obstante, no sabía casi nada de ella. Eso era un problema.

–Tengo la sensación de que estoy intentando conseguir la nacionalidad –comentó Francesca, dando un sorbo a su copa de vino–. Crecí en Beverly Hills. Mi padre es productor cinematográfico en Hollywood, como ya sabes. Conoció a mi madre en un rodaje en Sicilia y se casaron al mes siguiente.

–Entonces, no podrán quejarse de que lo nuestro haya ido tan rápidamente.

–No –admitió Francesca sonriendo–. Aunque

mi padre me ha echado un buen sermón por teléfono esta tarde. He tenido que asegurarle que no vamos a casarnos todavía, que va a ser un compromiso largo, porque quería tomar un avión y venir inmediatamente a hablar contigo.

–Sí, va a ser el compromiso más largo de la historia –respondió Liam.

–El matrimonio de mis padres es modélico. Y es lo que yo siempre he deseado tener.

Liam tomó nota. Francesca quería casarse de verdad. Se sintió mal por haberla metido en aquello, pero todavía tendría la oportunidad de tener un final feliz con el siguiente hombre con el que saliera. Lo suyo era solo un acuerdo temporal.

–Tengo una hermana pequeña, Thérése –continuó ella–. Vive en San Francisco. Es fotógrafa de moda. Yo vine a Washington a estudiar en la universidad de Georgetown.

–Yo también fui a Georgetown, a lo mejor coincidimos.

Francesca le contó en qué fechas había estudiado. Habían coincidido, pero él había terminado la carrera dos años antes.

–Eso es estupendo –comentó Liam–. Podemos decir que salimos juntos en la universidad y que este año volvimos a vernos y decidimos volver a intentarlo. Sonará más creíble. ¿Qué estudiaste?

–Ciencias de la comunicación y algunas asignaturas de Ciencias políticas. En realidad, quería ser periodista política.

–Es una pena que no lo hicieras. Me habría encantado verte por las noches en televisión. Qué curioso que no nos hayamos conocido hasta ahora. Yo también estudié algunas asignaturas de Ciencias de la comunicación. Me sorprende que no hayamos coincidido en ninguna clase.

Francesca se encogió de hombros.

—A lo mejor coincidimos. En la mayoría de esas clases había mucha gente.

Liam negó con la cabeza. Si hubiese coincidido con Francesca, la habría visto y, sin ninguna duda, le habría pedido que saliese con él.

—Me habría fijado en ti. Estoy seguro.

Francesca se ruborizó y empezó a jugar con el colgante de oro que llevaba al cuello, que parecía un cuerno. Se había cambiado de ropa para cenar y se había puesto un vestido color burdeos con un pronunciado escote. Liam ya se había fijado en el colgante antes, pero cada vez que iba a preguntarle por él, se fijaba en sus pechos y se le olvidaba hacerlo.

—¿Y ese collar? Tengo la sensación de que lo llevas siempre.

Ella bajó la vista y después lo levantó para que Liam pudiese verlo mejor.

—Es un *corno portafortuna*. Me lo regaló mi *nonna*. En Italia, es tradición llevarlo para evitar el mal de ojo. Nunca se sabe si te van a maldecir, sobre todo, en esta ciudad. Lo llevo para que me dé buena suerte.

Para él ya era una suerte ver cómo el colgante descansaba en el valle de sus pechos. Le daba una excusa para mirárselos y fingir que admiraba la joya.

–En el ascensor me contaste que pasabas los veranos en Italia, con tu abuela.

–Sí, fui a Sicilia todos los veranos de los cinco a los dieciocho años. Cuando era pequeña, viajaba con mi madre, pero después empecé a ir sola. Mi madre decía que era importante que conociese mi cultura. Mi *nonna* me enseñaba recetas típicas italianas y me contaba historias acerca de la familia. Mi hermana y yo aprendimos bastante italiano, aunque no recuerdo tanto como debería.

–Te sabes todas las palabrotas –comentó Liam.

–Por supuesto –admitió ella riendo–. Uno siempre recuerda lo que no debe.

–¿Y fue también allí donde empezaste con las supersticiones?

–Sí. Los italianos son muy supersticiosos. Mi *nonna* me inculcó un par de ellas. Mi madre no daba importancia a esas cosas, pero era algo especial que yo compartía con mi *nonna*. Falleció el año pasado, pero la superstición la mantiene viva en mi mente.

–Menos mal que te dijo que las mariquitas daban suerte, porque, en caso contrario, en estos momentos yo seguiría teniendo un serio problema. ¿Tienes que advertirme de alguna cosa que presagie mala suerte?

–Umm… –Francesca se quedó pensativa–. Están las típicas que conoce todo el mundo, como los espejos rotos y demás. No dejes nunca un sombrero encima de la cama, ni una hogaza de pan de pie en la mesa. Si se te cae la sal, debes tirar más por encima del hombro. El número que peor suerte da es el diecisiete. No te cases nunca en viernes. Hay millones de supersticiones.

–Increíble –dijo Liam–. Seguro que estoy maldito.

Francesca sonrió y se echó hacia atrás para permitir que el camarero le dejase el plato en la mesa.

–Yo creo que te ha ido bastante bien.

Eso era cierto. Con un poco de dinero de su padre, Liam había conseguido hacerse un nombre en los medios de comunicación. Y solo tenía veintiocho años, así que le quedaba mucho tiempo por delante. Por el momento, su prioridad era llegar a un acuerdo con su tía y asumir el control completo de ANS. Y si después heredaba además sus dos mil millones de dólares, mejor que mejor.

Su cerebro no era capaz de asimilar semejante cantidad de dinero. Así que intentaba no pensar en ella. Solo podía centrarse en una cosa cada vez y, en esos momentos, estaba centrado en que aquel compromiso pareciese real y en conseguir ANS. Ya había puesto a su asesor financiero a trabajar. Con un poco de suerte, todo saldría bien, pero estaba tan preocupado que hasta le costaba trabajo concentrarse en la preciosa mujer que tenía delante.

–Cuéntame más cosas. Qué cosas te gustan y cuáles no –le pidió.

–Mi color favorito es el rojo. Me encanta el chocolate negro. Soy alérgica a los gatos. Sé cocinar, pero no lo hago. Odio las zanahorias y la calabaza. Mi segundo nombre es irlandés e imposible de pronunciar bien.

–¿Cuál es? –preguntó Liam.

–¿Mi segundo nombre? Se pronuncia Kwee-vuh, que en gaélico significa «bella», pero se escribe Caoimhe –le explicó Francesca, deletreándole la palabra–. Intenta explicárselo a la persona que trabaja en Tráfico.

Liam se echó a reír.

–Yo también tengo un segundo nombre, es Douglas. Nada emocionante.

–Te envidio.

–¿Y tu familia paterna? No has hablado mucho de ella.

–Mi padre no tiene mucha relación con su familia a pesar de que vive en Malibú, es decir, a unos cincuenta kilómetros de Beverly Hills. Yo solo veía a mis abuelos en vacaciones y para los cumpleaños. Tengo mucha más relación con la familia de mi madre.

–A mí me pasa lo mismo con mi familia. Casi no nos vemos. Cuéntame más cosas de ti.

–¿Qué más? No hago deporte. Odio sudar. Y me gusta darme baños de espuma y pasear por la playa –le contó, echándose a reír–, pero no creo que nada de eso sea importante. Ahora te toca a ti hablarme de Liam Crowe.

La cena resultó muy agradable. La conversación había sido fluida y Francesca tenía que admitir que lo había pasado bien. Le había gustado estar con Liam. Sinceramente, le gustaba él. Era guapo, inteligente, divertido y abierto. Había hablado con sinceridad de su familia y de su trabajo. Este último le apasionaba y Francesca se dio cuenta de lo importante que era la cadena para él. Una parte de ella deseaba haberlo conocido en la universidad. A lo mejor podía haber pasado algo entre ambos entonces.

Bueno, en realidad, estaba segura de lo que habría ocurrido. Habrían salido juntos, ella se habría enamorado y él habría roto la relación y le habría destrozado el corazón. Liam no era de relaciones serias. Solo estaban comprometidos porque su tía lo conocía bien y quería obligarlo a sentar cabeza.

A pesar de todo, parecía estar llevándolo bastante bien. Francesca no estaba segura de lo que Liam pensaba de tener que tenerla cerca a la fuerza, pero no parecía molestarle demasiado. De hecho, había estado muy halagador, la había escuchado mientras hablaba y la había mirado con apreciación durante la cena.

Liam detuvo el Lexus descapotable delante de su casa y apagó el motor. Se giró hacia ella y sonrió con timidez. Observó cómo recogía el bolso y la chaqueta, pero no hizo amago de salir.

De repente, aquello parecía una cita y Francesca se puso nerviosa. Una tontería, teniendo en cuenta que Liam ya la había visto desnuda y que, además, estaban prometidos. En teoría.

—Esta noche lo he pasado muy bien —le dijo, sintiéndose como una tonta nada más hacerlo.

—Yo también. Y quería… volver a darte las gracias por hacer esto por mí. Y, ya sabes, por la compañía. Tengo la sensación de que hoy he interceptado tu vida.

Francisca pensó en lo que se suponía que tenía que haber hecho ese día, pero no fue capaz de recordarlo. Liam había hecho que se olvidase de todo.

–Seguro que no tenía nada importante planeado y, si lo tenía, seguirá estando ahí mañana.

–¿Tienes tiempo para que nos hagamos unas fotografías juntos? Es para el anuncio de nuestro compromiso en prensa.

–Supongo que sí. Dile a Jessica que mire mi agenda por la mañana. ¿Tengo que ponerme algo en concreto, o hacerme algo en el pelo?

Liam la observó y negó con la cabeza.

–Estás perfecta tal y como eres. No podría tener una prometida más guapa.

Ella se ruborizó. No pudo evitarlo. Aunque fuese ridículo. Sabía que era una mujer guapa, pero nada especial. Aunque Liam le hiciese sentirse así.

–Me estás haciendo la pelota para que no cambie de idea.

–Sí –admitió él–, pero es muy sencillo, siendo verdad. No sabes lo mucho que he pensado en ti desde aquella tarde que pasamos juntos. Y después de haber estado todo el día contigo, llevo tres horas controlándome para no intentar besarte. No sé si voy a poder aguantar mucho más.

Francesca no pudo evitar dar un pequeño grito de sorpresa al oírlo hablar con semejante sinceridad. Antes de que le diese tiempo a decir algo inteligente, Liam la besó.

No era la primera vez que lo hacía. Ni siquiera la segunda, pero Francesca se sintió como si lo fuera. No tenía la pasión de los besos del ascensor, ni pretendía transmitir la tranquilidad del beso de aquella mañana. Parecía el beso que marcaba el inicio de un romance. Liam la agarró de la nuca y la atrajo hacia él suavemente, masajeándole el cuello.

Francesca no pudo evitar dejarse llevar por la caricia. Era tan sencillo... Tan natural que su lengua se entrelazase con la de él y enterrar los dedos en su pelo ondulado...

Los labios de Liam la dejaron y bajaron por su cuello. Una oleada de deseo invadió el cuerpo de Francesca. Él le acarició un pecho a través del vestido y ella se echó hacia delante y gimió suavemente.

No entró en razón hasta que abrió los ojos y vio el enorme diamante de su mano. Se suponía que aquella relación era una farsa. Tenía que parecer auténtica ante sus familias y amigos, pero, como el propio Liam había dicho, nadie iba a seguirlos hasta la cama. Y ella sabía que, si traspasaba esa línea, le costaría ver las cosas de manera objetiva.

Liam era su prometido, pero jamás sería su marido. No estaba enamorado de ella, ni ella de él. Y el sexo lo complicaría todo.

Lo empujó con suavidad y él retrocedió y la miró con deseo. Tenía la respiración entrecortada. Había sido un buen beso. Francesca sabía que Liam había pensado cenar, disfrutar de la conversación, darle un beso y entrar en su casa... Se suponía que debía invitarlo a tomar un café y quitarse el vestido, pero era demasiado pronto, por mucho que lo desease.

Fue a abrir la puerta.

—Buenas noches, Liam.

—Espera —dijo él con el ceño fruncido—. ¿Buenas noches?

Ella asintió y se pegó el bolso al pecho para poner una sutil barrera entre ambos.

—Ha sido un día muy largo y lleno de emociones. Has pasado de ser mi jefe a ser mi prometido en solo unas horas. No creo que sea buena idea añadir amante a la lista.

Liam suspiró, pero no la contradijo. En su lugar, abrió su puerta y dio la vuelta al coche para ayudarla a salir. La acompañó hasta casa.

Francesca se detuvo al llegar a la puerta y no pudo evitar inclinarse hacia él y darle un beso en los labios.

—Nos vemos mañana, en el trabajo.

—Sí, estoy prometido —dijo Liam, sentado en su despacho y mirando las fotografías en las que salía con Francesca.

Se las habían hecho para el anuncio en prensa, pero no había podido evitar enviarle también una copia a su tía. Así que no le sorprendió que esta lo llamase a la tarde siguiente.

—Enhorabuena a ambos. No esperaba que aceptases mi oferta tan pronto —comentó Beatrice—. Te di un año, no un fin de semana.

–Bueno –empezó él–. Te dije que estaba saliendo con alguien. Y tú me ayudaste a darme cuenta de que tenía que dar un paso más en nuestra relación. Francesca y yo estamos hechos el uno para el otro, pero me estaba costando avanzar. Gracias por animarme.

–Eso es maravilloso, Liam. La fotografía es preciosa. Le pediré a Henry que le busque un marco. Tu prometida es muy guapa. ¿Dónde la conociste?

Tía Beatrice quería saber más, y Liam se alegró de haber concretado el tema con Francesca durante la cena.

–Nos conocimos en la universidad, a través de unos amigos en común, y salimos un tiempo. Luego, cuando empecé a interesarme por ANS, volvimos a encontrarnos en una fiesta. Ella trabaja en la cadena, en programas benéficos para la comunidad, y empezamos a salir otra vez.

Estaba seguro de que su tía estaba tomando notas y de que pediría que alguien comprobase que ambos habían estudiado en la misma universidad.

–Qué bonita coincidencia. Supongo que ha sido el destino.

–Sí.

–Pues espero que seáis muy felices juntos. Estoy deseando conocerla. De hecho, voy a ir a Washington para hablar en el Congreso a finales de mes y me encantaría que cenásemos juntos para celebrarlo.

Liam frunció el ceño. No sabía que su tía tuviese nada que ver con el Congreso. Si iba a Washington era, sin duda, a verlo a él. No se fiaba.

Pensó que tendrían que perfeccionar la farsa antes de que ella llegase, ya que había visto a Francesca triste al hablar con Scarlet de su compromiso.

El problema no había sido solo que no hubiesen concretado los detalles de su supuesta relación, sino que le había faltado ese brillo en la sonrisa que debía tener una mujer recién comprometida. Y le habían tenido que pedir que enseñase el anillo, cuando cualquier otra mujer lo habría hecho enseguida.

A pesar de que ella no quería embarcarse en una relación física con él, Liam supo que tenía que hacer algo. Francesca necesitaba alguna inspiración romántica, porque no podía fingirla. Y él estaría encantado de proporcionársela.

La había dicho a Francesca que no la había escogido con la intención de seducirla y era cierto, pero no descartaba la posibilidad de que se hiciesen amantes.

Era evidente que la deseaba. Cada vez que cerraba los ojos, la volvía a ver en el ascensor. Con las braguitas rojas, las mejillas coloradas, gimiendo de placer. Él no quería implicarse emocionalmente, pero estaría mintiendo si dijese que no quería retomar las cosas en el punto en el que las habían dejado en el ascensor.

Siempre y cuando ambos tuviesen clara la situación, el sexo no tenía por qué ser un problema.

Liam agarró con fuerza el teléfono e intentó recordar lo que su tía acababa de decirle. Con solo pensar en las braguitas rojas de Francesca, se había perdido en la conversación. Ah, ya, que tía Beatrice iba a ir a Washington y quería cenar con ellos.

—Por supuesto —respondió—. Francesca tiene muchas ganas de conocerte.

—Seguro que sí. Espero que lo paséis bien en la fiesta de esta noche. Ahora, te tengo que dejar. Tengo que llamar a Ron Wheeler para decirle que no puedo aceptar su oferta. Por el momento —añadió, dejándole claro que el tema no estaba zanjado.

—Me alegro de haber hablado contigo —le dijo él entre dientes—. Hasta pronto.

Colgó el teléfono e hizo girar el sillón para mirar la fotografía en la que salía con Francesca. Su tía lo ponía enfermo, pero si después de todo conseguía tener a aquella exuberante y femenina mujer entre sus brazos, a lo mejor tenía que terminar dándole las gracias.

Capítulo Seis

Francesca se estaba poniendo el segundo pendiente cuando sonó el timbre. Se miró una vez más en el espejo, satisfecha con su imagen. Se había comprado un vestido nuevo, de color turquesa y palabra de honor, que le llegaba justo por debajo de la rodilla, para la fiesta de compromiso. El conjunto llevaba además un fajín color crema con una flor fucsia y un chal a juego, por si tenía frío cuando anocheciese.

Había optado por hacerse un estiloso semirecogido para lucir los pendientes y la gargantilla de aguamarinas. Y, por supuesto, llevaba la joya más importante de todas: el anillo de compromiso.

Bajó las escaleras para abrir la puerta y a través de la mirilla vio a Liam esperando pacientemente. Estaba muy guapo con un traje gris claro, camisa color marfil y corbata turquesa, a juego con su vestido.

Liam todavía no había estado nunca en su casa, así que habían decidido que pasase a recogerla y le echase un vistazo, solo por si alguien le hacía alguna pregunta.

Hasta el momento, nadie había preguntado nada. Los amigos que ambos tenían en Washington no parecían sospechar. Eran tantos los que se habían comprometido o casado recientemente, que solo eran una pareja más. Con la única con la que debían tener cuidado era con la tía de Liam.

–Hola –lo saludó al abrir la puerta–. Entra. Esta es mi casa.

–Muy bonita –comentó él, pasando al salón y mirando a su alrededor.

A Francesca siempre le había gustado su casa. La había comprado cuando todavía estaba en la universidad. Solo tenía dos dormitorios, pero los espacios eran abiertos y el pequeño jardín que daba al salón era un oasis perfecto en el que aislarse del mundo. Había pintado las paredes en tonos cálidos y la había adornado con telas ricas y muebles cómodos.

Avanzó hacia el ventanal para enseñarle a Liam el jardín y la cocina reformada que raramente utilizaba.

–No es muy grande, pero no necesito más. Me encanta el barrio, y que esté enfrente del parque.

–Es muy acogedora. Tal y como la imaginaba. Mi casa necesita un decorador. ¿A quién contrataste tú?

–A nadie, la he decorado yo –le dijo Francesca–. Jamás permitiría que lo hiciese otra persona. Es demasiado personal.

Liam se encogió de hombros.

–Tienes buen gusto. Tal vez podrías decorar la mía, ahora que estamos prometidos.

En vez de responder, Francesca se dio la vuelta y fue a buscar su bolso. No le había gustado aquel comentario. No quería dar su toque personal a

77

un espacio que jamás le iba a pertenecer. No obstante, no merecía la pena decírselo, ni darle más vueltas al tema. Tenían una larga noche por delante y no necesitaba más preocupaciones.

–¿Estás listo? –le preguntó.

–Por supuesto.

El trayecto en coche no fue muy largo. Scarlet y Ariella habían alquilado una de las mansiones más grandes y conocidas de Georgetown. Era una finca con jardines y fuentes, llena de flores en esa época del año. La casa había sido construida dos siglos antes. Era el lugar perfecto para una fiesta de compromiso en un día soleado como aquel.

Al llegar a la propiedad, el mayordomo les abrió las puertas y les indicó dónde estaba la entrada al jardín.

Al llegar, Francesca se dio cuenta de que estaba más nerviosa de lo que había pensado. Casi le temblaban las rodillas. Iba a tener que enfrentarse a casi todas las personas que conocía a la vez y no supo si iba a ser capaz. Una fiesta de compromiso. Su propia fiesta de compromiso.

Liam notó que dudaba y se acercó más a ella. La abrazó por los hombros y la acarició suavemente para tranquilizarla.

–Todo va a salir bien. Estás preciosa. Y estoy segura de que Scarlet y Ariella han hecho un trabajo estupendo. No tienes de qué preocuparte.

–Lo sé –respondió ella, bajando la vista al césped.

Liam puso un dedo en su barbilla y la obligó a mirarlo.

–Puedes hacerlo. Estoy seguro. Pero tengo que decirte que se te ha olvidado algo.

Ella lo miró, agobiada. ¿Qué se le había olvidado? ¿El anillo? No. ¿El pintalabios? No.

–¿El qué?

–El rubor de una joven enamorada, pero creo que puedo arreglarlo –le dijo Liam, dándole un beso en los labios.

Por mucho que intentase negar la atracción que sentía por él, su cuerpo la delató. Le ardió la sangre en las venas y sintió un cosquilleo por todo el cuerpo. Todavía le temblaban las rodillas, pero por un motivo distinto al anterior. Se agarró a la solapa de su chaqueta para no perder el equilibrio y para acercarlo más a ella.

Los besos de Liam eran peligrosos, y a esas alturas ya tenía que saberlo. No obstante, en esos momentos le pareció la manera perfecta de escapar a todo lo demás. ¿Por qué no podían quedarse allí, los dos solos?

Entonces Liam se apartó, pero no la soltó.

–Hoy no te he manchado de pintalabios –comentó ella.

–Ha funcionado –contestó él–, ya tienes ese rubor que te hacía falta. Vamos a entrar ahí antes de que lo pierdas.

Entrelazó el brazo con el suyo y la condujo hacia la recepción.

Al principio, Francesca lo vio todo borroso. Había unas ciento cincuenta personas, una cantidad impresionante, teniendo en cuenta la poca antelación con la que habían avisado. Alguien anunció su llegada y un grupo de personas se acercaron a abrazarlos y darles la enhorabuena. A Francesca le preocupó no ser capaz de fingir, pero con un poco de práctica y unos sorbos de champán, pronto empezó a sentirse más cómoda enseñando el anillo y comentando lo bonita que era la fiesta.

Un rato después, se separó de Liam y fue a por una copa. Entonces pudo fijarse en la decoración del jardín. Scarlet y Ariella habían hecho un trabajo excelente. El jardín ya era precioso de por sí, pero ellas le habían dado un toque diferente poniendo farolillos de papel en los árboles y un arco con flores detrás del cuarteto de cuerda que amenizaba la fiesta. La comida estaba colocada estratégicamente. Eran aquellos detalles los que hacían que el trabajo de sus amigas fuese especial.

Tomó un vaso y se sirvió un ponche de una fuente de plata. Iba a darle un sorbo cuando oyó una voz de mujer que decía a sus espaldas:

–No sé si sabes que tiene champán.

Francesca se giró y vio a Ariella con una bandeja de canapés en la mano.

–¿Y no puedo tomar champán en mi propia fiesta de compromiso?

Su amiga sonrió y le dio la bandeja a uno de los camareros.

–Depende de si Liam y tú tenéis mucha prisa en casaros.

–No estoy embarazada –le aclaró ella haciendo un puchero.

Tenía que haber imaginado que la gente pensaría que ese era el motivo por el que habían anunciado su compromiso tan repentinamente. Francesca se bebió todo el vaso de ponche de un trago para acallar los rumores.

–Bien –dijo Ariella, rellenándole el vaso y sirviéndose uno ella también.

Luego señaló unas sillas situadas justo debajo de un árbol lleno de flores moradas.

–Entonces, entre tú y yo, ¿qué es lo que pasa? –le preguntó después de sentarse.

Francesca supo que su amiga iba a bombardearla a preguntas, aunque lo haría de manera distinta a la tía de Liam. Solo quería conocer los detalles para entender su decisión y poder alegrarse por ella. O preocuparse, dependiendo de las circunstancias. Era lo que hacían las buenas amigas.

–Ha ido todo tan deprisa, que casi no sé qué decirte. Cuando lo vi, fue como si no hubiésemos estado distanciados todos estos años. Hubo chispa.

Aquello no era del todo mentira.

Ariella la miró a los ojos y estudió su rostro unos instantes. Después, satisfecha con la respuesta, sonrió y le dio una palmadita en la rodilla.

–En ese caso, me alegro por ti. Aunque me habría gustado que me lo contases antes.

Francesca deseó poder contarle la verdad, pero Liam había insistido en que no podía saberla nadie.

–Todo el mundo estaba tan ocupado con sus propias vidas, que decidí mantenerlo en secreto hasta que hubiese algo importante que contar –comentó.

–¿Y cómo se ha tomado la noticia tu padre? –le preguntó Ariella.

–Ah –dijo ella, suspirando–, ya conoces a papá. Se acostumbrará. Le preocupa que nos estemos precipitando, y no conocer a mi prometido. He tenido que recordarle que mi madre y él se casaron en secreto al mes de conocerse.

Ariella sonrió.

Francesca intentó cambiar de tema, aprovechando que estaban hablando de su padre.

–¿Puedo hacerte una pregunta?

–Por supuesto –le contestó Ariella.

–Pero si te sientes incómoda, dímelo. Le he prometido a Liam que iba a intentarlo.

–¿Quiere que haga una entrevista? –preguntó Ariella.

–No exactamente. Quiere ofreceros, al presidente Morrow y a ti, la oportunidad de hablar y contar vuestra historia en primera persona. Frente las cámaras. Sin preguntas. Solo tu padre y tú, hablando de lo que queráis. Liam me ha dicho que me pondría a mí al frente del programa, para asegurarme de que estáis cómodos. Yo le he dicho que me parece…

–Bien.

Francesca miró a su amiga sorprendida.

–¿Qué?

Ariella se encogió de hombros.

–He dicho que bien. Si el presidente está de acuerdo, a mí me parece una idea genial. Antes o después tendremos que hacer alguna declaración pública. Ninguno de los dos hemos hecho nada malo, pero el silencio hace que parezca que tenemos algo que ocultar.

–¿Y piensas que la televisión es el mejor lugar para reunirte con tu padre? ¿No te va a resultar difícil?

–No más que hacerlo en cualquier otra parte. Sinceramente, creo que es buena idea dejar las cosas claras para que se deje de especular. Dile a Liam que estoy de acuerdo.

Francesca le dio otro sorbo a su ponche y suspiró. Todo el mundo se había vuelto loco.

–Está bien, estupendo –dijo, fingiendo entusiasmo–. Se lo diré a Liam.

Liam tuvo que admitir que la fiesta estaba muy bien. Una de las mejores a las que se había visto obligado a asistir a lo largo de los años. Si alguna vez se casaba, pensaría sin duda en llamar a la empresa de las amigas de Francesca, D.C. Affairs.

Estaba anocheciendo y la fiesta empezaba a tocar a su fin. Los invitados se estaban marchando.

Liam había perdido de vista a Francesca un rato antes, cuando se había puesto a hablar de política con un grupo de hombres. En esos momentos, tomó su copa de champán y fue a buscar a su prometida. Qué raro le sonaba pensar en ella en esos términos.

La encontró sentada sola a una mesa.

–Hola –le dijo, acercándose–. Pensé que querías huir de mí.

Francesca sonrió con cautela y se quitó un zapato.

–Me temo que no voy a poder huir de nadie.

–¿Nos marchamos?

–Sí. La fiesta se ha terminado. Me parece que ha sido todo un éxito. Además, he conseguido que varias personas me prometan que van a comprarme entradas para la gala benéfica de la semana que viene.

–No está bien que hayas aprovechado la fiesta para vender entradas.

Ella se encogió de hombros.

–¿Por qué no? Tú has estado hablando de política todo el tiempo.

Se puso el zapato y se levantó.

–*Ay, i miei piedi* –añadió.

Liam la vio dar un par de pasos y decidió que el coche estaba demasiado lejos para ella.

–Espera –le dijo, acercándose a ella y tomándola en brazos.

–¡Eh! –gritó Francesca sorprendida.

Varias personas se giraron a mirarlos y sonrieron ante un gesto tan romántico.

Francesca se agarró al cuello de Liam.

–No hacía falta –le dijo mientras iban hacia el coche.

–Lo hago porque quiero –respondió él–. Un Lexus gris descapotable –le dijo al mayordomo, que desapareció inmediatamente a buscar su coche.

–Yo creo que ahora ya me puedes dejar en el suelo –comentó Francesca.

–¿Y si yo prefiero tenerte entre mis brazos solo porque me gusta? –le preguntó él.

Era cierto, le gustaba tenerla así. Le gustaba aspirar su olor y acordarse de su encuentro en el ascensor. Le gustaba sentir sus pechos apretados contra su torso. No quería dejarla en el suelo, sino encima de una cama, para hacerle el amor durante varios días seguidos.

Francesca tomó aire y lo miró a los ojos. Estudió su rostro, consciente de la reacción que causaba en él. Y Liam se dio cuenta de que el sentimiento era mutuo. La vio separar los labios para decir algo, pero en ese momento el coche se detuvo delante de ellos.

Quiso saber lo que iba a decirle, pero ella se movió incómoda para que la bajase. Él la dejó en el césped y le dio la vuelta al coche para sentarse detrás del volante. El momento había pasado y las palabras de Francesca se habían quedado sin decir.

No volvieron a hablar hasta que estuvieron ya delante de casa de Francesca.

–¿Quieres entrar? –balbució ella.

–Hoy lo he pasado muy bien.

–Yo también.

–Sí.

Francesca sonrió al darse cuenta de que ambos estaban nerviosos.

–Ahora que todo ha terminado, entra y prepararé un café.

A Liam le alegró que lo invitase a su casa. Salió del coche y dio la vuelta para abrirle la puerta.

Después la siguió escaleras arriba hasta la entrada de la casa. Mientras ella abría la puerta, Liam apoyó la mano en su espalda y notó cómo se estremecía a pesar de que era una noche cálida. Era evidente que Francesca no podía evitar responder a sus caricias. Por él, no tenía por qué preparar ese café hasta por la mañana.

Entraron en casa y Liam la siguió hasta la cocina, donde ella dejó el bolso en la encimera y se quitó los tacones.

–Así estoy mucho mejor –dijo sonriendo–. Ahora, el café.

Abrió varios armarios y empezó a prepararlo.

Mientras tanto, Liam se quitó la chaqueta y la dejó en un taburete. Luego se colocó detrás de ella y la agarró por la cintura para pegarse a su cuerpo. Le colocó el pelo sobre un hombro y le dio un beso en el cuello.

La cafetera golpeó la encimera y Francesca tuvo que sujetarse con ambas manos.

–¿No quieres café? –le preguntó en un susurro mientras él seguía dándole besos. Apretó su cuerpo contra el de él.

–El café no me dejaría dormir, y me gustaría meterme en la cama –le contestó, empujándola con su erección–. ¿Y a ti?

Sabía que Francesca estaba en guerra con su propio cuerpo desde que se habían conocido.

Pero esa noche tenía que tomar una decisión. Fingir que eran una pareja feliz sería mucho más sencillo para él si no tenía que contenerse cada vez que la viese. El sexo no estaba incluido en su acuerdo, pero su compromiso era una excusa perfecta para dejarse llevar.

–No.

La respuesta de Francesca lo dejó helado. ¿Le había dicho que no? Liam se maldijo. No era posible que hubiese interpretado mal sus gestos. ¿Solo lo había invitado a tomarse un café? Tal vez fuese mejor actriz de lo que él había creído.

Antes de que le diese tiempo a apartarse, Francesca se giró y lo abrazó por el cuello. Lo miró con sus enormes ojos oscuros y sonrió.

–No quiero irme a la cama –le explicó–. Quiero hacerlo aquí.

Liam pensó que sería un placer. Dejó el bolso de Francesca en el suelo y apartó todo lo que había en la encimera. Luego, la agarró de la cintura y la sentó en la superficie de granito. Le acarició las piernas y le levantó el vestido lo suficiente para que Francesca pudiese separar los muslos y él, colocarse en medio.

–¿Qué tal así? –le preguntó, agarrándola del trasero y apretándola con fuerza contra él.

Francesca sonrió y lo abrazó con las piernas por la cintura.

–*Perfetto*.

Luego se inclinó a besarlo. Cuando sus labios se juntaron, brotó de repente toda la pasión que llevaban una semana conteniendo. Se acariciaron frenéticamente, sus lenguas se entrelazaron.

Liam no podía desearla más. La suavidad de su piel, sus gemidos, lo estaban volviendo loco. Intentó bajarle el vestido hasta la cintura con cuidado, pero no podía esperar más. Sobre todo, al ver que esta se lo quitaba por la cabeza y se quedaba con un conjunto de lencería rosa de encaje.

Retrocedió para verla mejor y para recuperarse un poco. Por mucho que la desease, no podía precipitarse. Francesca arqueó la espalda y se llevó las manos a la espalda para desabrocharse el sujetador. Y la vista de sus generosos pechos fue su perdición. Estaba deseando acariciárselos.

–Tócame –le susurró ella al oído.

–¿Estás segura? La otra noche…

–Eso fue el otro día. Ahora estoy preparada y no quiero esperar más.

Él también estaba preparado, pero lo primero era lo primero. La miró fijamente mientras se quitaba la corbata y la camisa. El cinturón, los pantalones y todo lo demás, hasta que solo quedaron entre ambos las braguitas rosas. Luego retrocedió, dejó un preservativo en la encimera y le acarició los muslos hasta llegar al encaje rosa.

–¿Son tus favoritas? –le preguntó.

Francesca negó con la cabeza. Él se alegró. Aunque, en realidad, le daba igual. Si hacía falta, al día siguiente le compraría una docena. Agarró la tela y tiró de ella con fuerza, rasgándola.

Por fin tenía su precioso cuerpo completamente desnudo ante él. En aquella ocasión, nada iba a interrumpirlos.

La agarró por la cintura y la empujó suavemente para tumbarla en la barra del desayuno. Se inclinó sobre ella, la acarició y le besó los pechos. Después bajó la boca por su vientre y la besó en la cadera mientras buscaba con la mano la humedad y el calor que había entre sus piernas.

Francesca dio un grito ahogado y se apretó contra él. Arqueó la espalda e intentó inútilmente aferrarse a la encimera. Estaba preparada para recibirlo y, por mucho que desease alargar el momento, tenía que ser cuanto antes. Después tendrían toda la noche para seguir disfrutando el uno del otro.

Liam se puso el preservativo, la agarró por las caderas y la penetró, sintiendo un placer que raramente había experimentado antes. Fue como una deliciosa descarga que recorrió todo su cuerpo de arriba abajo. Apretó los dientes e intentó controlarse, retrocedió y volvió a entrar.

Francesca se incorporó para abrazarlo por el cuello y puso las piernas alrededor de su cintura. Apretó los pechos desnudos contra el suyo y susurró:

–Hazme tuya.

Y después le pasó la lengua por la oreja.

Liam la agarró de la espalda y la colocó tan cerca del borde que se habría caído si él no hubiese estado sujetándola, y entonces hizo lo que le había pedido. La llenó una y otra vez, perdiéndose en ella hasta que la oyó gritar de placer y notó cómo sus piernas empezaban a temblar. Entonces, se dejó llevar él también por la sensación de placer que invadía su cuerpo y gimió de satisfacción.

Capítulo Siete

Francesca se giró y se acurrucó bajo la manta, y solo abrió los ojos cuando se dio cuenta de que algo la impedía taparse como ella quería. La luz del sol entraba por la ventana de su habitación, iluminando la espalda de Liam, ancha y desnuda.

¿Qué había hecho?

Había tenido una noche de maravilloso y apasionado sexo con su falso prometido. Eso era lo que había hecho. Soltó la manta y se tumbó boca arriba muy despacio, para no despertarlo. No estaba preparada para enfrentarse al hombre con el que no se iba a casar.

Miró bajo las sábanas y se dio cuenta de que estaba desnuda. Al menos, podía haberse puesto algo. Se llevó la mano a la cabeza y contuvo un gemido. Aquella situación ya era suficientemente complicada como para añadirle sexo. Además, en la encimera... Menos mal que no cocinaba.

Gracias a la noche anterior, las cosas iban a ponerse feas. Liam era su jefe. Su falso prometido. No tenían que haberse acostado. Y, no obstante, sentía una atracción incontrolable por él. No podía evitarlo.

Era guapo, rico, poderoso... Tenía sentido del humor y una sonrisa pícara que conseguía que el corazón se le derritiese un poco cuando la miraba. Y, sobre todo, se preocupaba por sus empleados. Su relación laboral con él había empezado con mal pie, pero, no obstante, lo respetaba por cómo estaba dirigiendo la cadena. Y, todavía más, por todo lo que estaba dispuesto a hacer para protegerla.

Liam era el tipo de hombre del que habría podido enamorarse, y mucho. El único problema era que no era de los que iban a corresponderla.

Ella se tomaba las relaciones muy en serio. No le gustaban las aventuras y, a pesar de haber perdido la cabeza en el ascensor, no solía acostarse con nadie si no creía que lo suyo podía tener futuro.

Quería un matrimonio como el que habían tenido sus padres. Victor y Donatella Orr habían estado casados treinta años y habían sido para ella un buen ejemplo de cómo debía ser un matrimonio. Habían discutido, pero nunca se habían guardado rencor. Habían sido cariñosos y comprensivos el uno con el otro. Se habían dado espacio, pero se habían asegurado de pasar tiempo de calidad juntos, como familia y como pareja.

Con veintisiete años, Francesca todavía tenía que conocer al hombre con el que podría tener ese tipo de relación. Unos la agobiaban, otros eran demasiado egocéntricos, malhumorados o arrogantes. Luego estaban los que eran como Liam, que estaba centrado en su trabajo y no tenía prisa por pensar en casarse. Salían con muchas mujeres y solo se tomaban en serio su carrera. Eran de los que un día, con cincuenta años, se darían cuenta de que habían perdido la oportunidad de formar una familia, salvo que encontrasen a una mujer más joven y a la que le gustasen los regalos caros.

A pesar de estar comprometidos, era el último hombre de la Tierra con el que se casaría, y por eso era un error acostarse con él. Francesca era una mujer apasionada, que ponía su corazón en todo lo que hacía, pero no podía ponerlo en aquello. No podía mirar el anillo de compromiso y la fotografía que se habían hecho juntos e imaginar que podía ser algo más que una fantasía.

Oyó a Liam murmurar algo y cambiar de postura y lo miró. Tenía el pecho desnudo y deseó acariciárselo. Deseó meterse bajo la sábana y despertarlo de la manera más placentera posible.

Aquello no tenía nada de acuerdo comercial.

Se dio la media vuelta y vio su bata colgada del pomo de la puerta del armario. En silencio, salió de la cama, miró una vez más a Liam, que seguía dormido, y se marchó de la habitación.

Una vez en el piso de abajo, respiró con algo más de tranquilidad. Al menos, hasta que vio lo que quedaba de sus braguitas rosas en el suelo de la cocina. Las recogió y las tiró a la basura, y luego se puso a recoger el resto de la ropa. La dejó toda en el sofá y después se acercó a la puerta a por el periódico que le dejaban todas las mañanas. Lo posó en la mesa de la cocina y decidió preparar café. La cafeína la ayudaría a encontrar la manera de solucionar todo aquello.

El café estaba terminando de hacerse cuando oyó los pasos de Liam por la casa. Un momento después, lo vio aparecer en la cocina. Solo llevaba puestos los pantalones del traje que ella había recogido unos minutos antes.

–Buenos días –lo saludó, sirviendo dos tazas de café.

–Te has marchado de la cama sin avisar –protestó Liam con voz todavía ronca. Se pasó la mano por el pelo y frunció el ceño.

–Anoche te prometí que te invitaría a café –le explicó Francesca–. He querido que estuviese hecho cuando te despertases.

Prefirió decirle eso a que se había sentido incómoda y había tenido que marcharse.

–¿Cómo te gusta? –le preguntó.

–Con un poco de leche y un terrón de azúcar –respondió él, sentándose a la mesa.

Abrió el periódico y empezó a hojearlo, ajeno a los nervios de Francesca.

Esta se mantuvo ocupada con el café y buscando una caja de galletas. Dejó las dos tazas y la leche en la mesa y tomó dos servilletas de papel del servilletero que había en el centro de la mesa.

–El desayuno está listo.

–Gracias –le respondió él, apartando la vista del periódico–. Nuestra fiesta ha salido en las páginas de sociedad de la edición del domingo. Debería mandarle el recorte a mi tía Beatrice.

Le enseñó la página a Francesca.

–Estoy segura de que le ha dado rabia perdérsela. Mis amigas organizan unas fiestas a las que

93

ni siquiera ella podría ponerles pegas. Por cierto...

Francesca se interrumpió para dar un sorbo a su café. Acababa de acordarse de que había algo importante que todavía no le había contado a Liam.

—Se me había olvidado decirte que Ariella ha aceptado.

Liam la miró.

—¿El qué?

—Estuve hablando con ella en la fiesta acerca del programa de televisión con el presidente. Está dispuesta a hacerlo si a él le parece bien.

Liam abrió mucho los ojos y dobló el periódico mientras sonreía.

—Eso es estupendo. ¿Cómo se te ha podido olvidar contármelo, si no nos hemos separado desde la fiesta?

Ella lo miró por encima de la taza y arqueó una ceja.

—Sí, hemos estado juntos toda la noche. Y muy ocupados, por si no te acuerdas.

Liam sonrió.

—Es verdad. De todos modos, anoche no habría podido hacer nada al respecto —comentó tomando una galleta y dejándola encima de la servilleta—. Bueno, ahora lo que tienes que hacer es llamar a la Casa Blanca para ver si el presidente Morrow está dispuesto a participar.

—¿Yo?

—Sí. Ya te dije que estarías al frente del programa.

–La gala benéfica de Youth in Crisis es el sábado por la noche y estoy muy ocupada con eso.

–Estoy seguro de que puedes hacer todo esto y mucho más. Además, es probable que el programa no se emita hasta junio, solo hay que ir poniéndolo en marcha.

Francesca pensó que, si era en junio, podía hacerlo.

–Llamaré a la Casa Blanca el lunes por la mañana –accedió.

En parte, tenía la esperanza de que al presidente no le pareciese buena idea salir con Ariella en televisión. En realidad, el programa haría mejorar la audiencia y la opinión pública acerca de ANS, pero no estaba convencida de que estuviese bien. Si ella hubiese sido adoptada, no le habría gustado reencontrarse con su padre biológico en televisión, delante de todo el mundo.

–Estupendo –le dijo Liam, doblando el periódico y alargando la mano por encima de la mesa para tocar la suya–. Muchas gracias por habérselo preguntado, sé que en realidad no te apetecía hacerlo.

–Es Ariella quien debe tomar la decisión. Si piensa que es lo adecuado, no seré yo quien le diga lo contrario. Es su vida.

–Estoy seguro de que supervisarás muy bien el programa. Sé que es algo que no has hecho nunca antes, pero trabajas muy bien. Aunque ANS no está pasando por su mejor momento, creo que podemos levantar la cadena. Si todo va bien, conseguiré el control absoluto y podremos terminar con nuestro falso compromiso. La exclusiva del presidente y su hija nos hará ganar puntos. Sé que, con tu ayuda, puedo conseguir que la cadena vuelva a funcionar. Y quiero darte las gracias por todo lo que has hecho hasta ahora.

–No te precipites –le dijo ella.

El éxito del plan de Liam dependía de muchos factores. Y, en el fondo, a Francesca le preocupaba que algo pudiese salir mal.

El lunes por la mañana, Francesca entró en el despacho de Liam sin que Jessica la anunciase. Él levantó la vista de la pantalla del ordenador al oírla entrar y sonrió de oreja a oreja. Era normal que sonriese, después del fin de semana que habían pasado juntos.

–Veo que estás disfrutando de los privilegios de ser la prometida del jefe.

Ella sonrió también.

–Tengo acceso exclusivo, en cualquier momento del día.

A Liam le gustó verla relajada y contenta. Al principio, no había sabido cómo iba a tomarse todo aquello. Y, aunque no lo quisiera admitir en voz alta, tenía que funcionar si no quería perder la cadena. Sabía que Francesca también tenía sus preocupaciones. Todo lo que sentía, se reflejaba en su rostro. Pero después del tiempo que habían pasado juntos ese fin de semana, estaba seguro de que ambos iban a tener una actitud más positiva. Francesca ya no fruncía el ceño, preocupada, sino que sonreía.

La vio dejar un vaso desechable de café y un paquete de galletas italianas delante de él. Iba a conseguir que se hiciese adicto a aquellas cosas, y después no podría comprarlas sin su ayuda.

–Café con leche y un terrón de azúcar –anunció ella.

–Como a mí me gusta –respondió Liam, girando el sillón para darle un beso de bienvenida.

Francesca se inclinó hacia él, pero volvió a apartarse antes de que a Liam le diese tiempo a tocarla demasiado. A este le molestaba no poder tocarla cuando y donde quisiese, pero lo entendía. Tal vez su relación fuese por el bien de la empresa, pero las muestras públicas de cariño en el trabajo no le parecían bien. Ella se sentó al otro lado del escritorio con su propio café.

–¿Has llamado ya a la Casa Blanca? –preguntó él.

–Son las nueve de la mañana y acabo de traerte un café recién hecho. No, todavía no me ha dado tiempo a entrar en mi despacho.

–De acuerdo, lo siento –le dijo Liam, dándole un sorbo–. Ya sabes que estoy deseando que el programa salga adelante.

–Lo sé. Y haré la llamada en cuanto llegue a mi despacho. Con un poco de suerte, no tardaré mucho. Tengo miles de cosas que hacer esta semana, antes de la gala del sábado.

Liam asintió, aunque, en realidad, los detalles no le interesaban. De hecho, solo iban a participar porque Francesca había accedido a ser su prometida. No podía justificar aquel gasto, dada la situación de la cadena.

–Por cierto, con respecto a la gala –continuó ella–, lo tengo casi todo organizado. La venta de entradas ha ido muy bien. Asegúrate de que tienes el esmoquin limpio.

Liam tomó nota para preguntarle a Jessica un rato después.

–De acuerdo.

–Y escribe un discurso.

–¿Qué? –preguntó él, levantando la vista con el ceño fruncido.

No le gustaba hablar en público. De hecho, lo odiaba. Lo evitaba siempre que podía. Le gustaba todavía menos que el hecho de que su tía lo obligase a casarse.

–Eres el principal patrocinador de la gala, así que tienes que dar el discurso de bienvenida y animar a todo el mundo a hacer generosas donaciones.

–No recuerdo que Graham lo hiciera –comentó él–. ¿No debería dar el discurso alguien de la organización?

Francesca sonrió.

–También hablan, pero no mucho. Graham lo hacía todos los años. Y sin quejarse, debo añadir.

Liam protestó entre dientes y tomó nota de que debía dar un discurso. Aquello no estaba incluido en su acuerdo inicial, pero podía hacer algunas concesiones. De hecho, Francesca tampoco había accedido a acostarse con él, pero había ocurrido.

–Está bien. Escribiré un discurso, pero, a cambio, tienes que salir a cenar conmigo esta noche.

–¿Por qué?

Liam se inclinó sobre el escritorio y la miró de manera seductora.

–Porque voy a atiborrarte de sushi y de sake y, cuando estés borracha, te voy a convencer para… que me perdones el discurso o para que me lo escribas tú.

Francesca se echó a reír.

–Yo no escribo discursos, pero tienes en plantilla a varias personas que lo hacen. Te sugiero que sobornes a alguna.

No era mala idea. Ser un magnate de los medios de comunicación tenía sus ventajas. Lo ideal sería que también fuese un presentador de la cadena quien diese el discurso. Anotó esa idea también.

–¿Significa eso que no quieres cenar sushi conmigo esta noche?

–Claro que quiero, pero antes tengo que convencer al presidente y terminar de organizar la gala.

Se levantó de su silla y se acercó a darle un beso de despedida.

Como estaban a solas, Liam aprovechó para agarrarla de la cintura y sentarla en su regazo. Después, la abrazó con fuerza para que no se pudiese escapar.

Antes de que a Francesca le diese tiempo a protestar, la besó. Le gustaba mucho besarla, más de lo normal. No sabía si era por la manera en la que ella lo agarraba, o por los suspiros y gemidos que dejaba escapar. Tal vez fuese su sabor, que era como tomar un sorbo de café dulce, cremoso. El caso era que no se cansaba nunca de ella.

Francesca disfrutó del beso y luego se apartó.

–Tengo que ponerme a trabajar –insistió.

Se levantó, se estiró la falda y se pasó la mano alrededor de los labios por si se le había corrido el pintalabios.

–Estás preciosa –le aseguró él.

Era cierto. Vestida o desnuda, arreglada o recién levantada de la cama. Le gustaba de todas las maneras.

Quiso volver a sentarla en su regazo y, tal vez, hacer buen uso de aquel escritorio. Pero Francesca no iba a acceder, estaba seguro. Él, después de aquel beso, no iba a poder dejar de pensar en ella en todo el día. No podría concentrarse en nada hasta después de la cena, cuando pudiese volver a tenerla. No obstante, había merecido la pena.

–Halágame todo lo que quieras, pero no vas a poder librarte del discurso, Liam –le dijo ella antes de marcharse.

Liam se quedó unos segundos sentado en su sillón. Si aspiraba profundamente, todavía seguía oliendo a rosas, a ella. ¿Habría algo en aquella mujer que no le gustase?

Lo pensó y sacudió la cabeza. Todavía no. Se había sentido físicamente atraído por ella desde la primera vez que la había visto y, según la iba conociendo, la atracción se iba haciendo más fuerte. Era bella, inteligente y amable.

Tomó el café que le había llevado y le dio otro sorbo. Francesca tenía un temperamento fuerte, probablemente difícil de llevar, pero la moneda de la pasión tenía dos caras y, en esos momentos, él estaba disfrutando de la otra.

La situación en la que tía Beatrice lo había metido era complicada, aunque no se arrepentía de haberle pedido a Francesca que fuese su prometida. Sabía que no era justo, pero era la persona perfecta para ayudarlo. No se imaginaba a ninguna otra mujer de las que había en su agenda haciéndolo tan bien.

Le gustaba estar con Francesca. Había estado cómodo, trabajando con ella la semana anterior. Y eso era mucho. Había salido con bastantes mujeres a lo largo de los años, pero nunca más de un par de meses seguidos. Además, siempre había establecido una serie de normas. Casi nunca las había llevado a su casa y, si lo había hecho, no se habían quedado a dormir. No les había presentado a ningún miembro de su familia, ni había llegado a un punto en una relación en el que pensase que era apropiado.

Y jamás las había llevado a su despacho. Siempre había separado muy bien su vida profesional de la amorosa. No salía con mujeres del trabajo, y Francesca era una excepción. En Washington, era difícil salir con gente que no tuviese nada que ver con los medios de comunicación y que no estuviese metida en política, pero él lo prefería así y lo intentaba siempre.

Francesca estaba cambiándolo todo. Aquel falso compromiso estaba convirtiéndose en otra cosa. Liam no solo quería que Francesca fuese a su casa, sino que deseaba que lo ayudase a decorarla. Le gustaba empezar el día charlando con ella mientras se tomaban una taza de café, ya fuese en el despacho o en la cocina de su casa. Y todavía no le había presentado a su familia, pero pronto lo haría. Si el compromiso se alargaba, tal vez intentaría convencer también a su hermana y a su madre para que fuesen a Washington. Le gustaba la idea de presentarles a Francesca. Estaba seguro de que a su hermana le caería muy bien.

Estaba rompiendo sus propias normas. O, más bien, las estaba aplastando con un tacón rojo.

En otras circunstancias, eso lo habría preocupado, pero lo cierto era que le gustaba.

Llamaron suavemente a la puerta y él miró la fotografía en la que aparecía con Francesca.

—¿Sí?

Jessica entró con varias carpetas.

—Buenos días, señor.

—Buenos días, Jessica.

Su secretaria se acercó al escritorio sonriendo.

—Veo que está más contento esta mañana. El amor le sienta bien, señor. Y el pintalabios de la señorita Orr, también.

Liam sonrió como un tonto y se levantó para mirarse en el espejo que había encima del minibar. Vio que tenía la cara manchada de pintalabios y se la limpió.

—Gracias, Jessica. A ella no le habría importado que me pasase todo el día así.

—Por supuesto que no. Le he traído los documentos que me ha pedido esta mañana.

Jessica dejó el montón de papeles en el escritorio.

—Los índices de audiencia del mes pasado, el presupuesto desglosado de la gala de este fin de semana y el ejemplar de *Italiano para tontos* que me encargó que comprase en Amazon.

—Excelente. Gracias, Jessica. Hoy tengo una reunión con el director financiero, ¿verdad?

—A las cuatro.

Liam asintió.

—¿Puedes reservar mesa para dos en ese restaurante japonés tan agradable que hay en Dupont Circle? ¿A las seis? Supongo que a esa hora habré terminado la reunión.

—Por supuesto. ¿Algo más?

—Yo creo que es todo por el momento.

Cuando Jessica se dio la media vuelta, a Liam se le ocurrió otra cosa.

—Espera un momento. Me gustaría enviarle algo a Francesca. Un regalo que no espere. ¿Alguna sugerencia?

Su secretaria se quedó pensativa unos segundos.

—Bueno, a cualquier otro hombre le sugeriría unas flores o bombones.

—¿A cualquier otro hombre? ¿No soy como los demás?

—No, señor.

Al menos, era sincera.

—¿Y qué me recomendarías a mí?

—¿Qué tal algo para la gala de este fin de semana? ¿Sabe qué vestido se va a poner? Tal vez una joya que le vaya bien.

Liam recordó que Francesca le había hablado del tema el día anterior. Había comentado que todavía tenía que encontrar un vestido, pero que no sabía si iba a tener tiempo de ir a buscarlo. A lo mejor él podía ayudarla. Tía Beatrice tenía *personal shoppers* que le escogían la ropa y se la llevaban directamente a casa.

–Mira a ver cómo tiene la agenda la señorita Orr mañana por la tarde y déjasela libre. Después, llama a Neiman Marcus y pídeles que manden un *personal shopper.*

–Van a necesitar su talla, colores y cualquier otra preferencia.

Liam escribió un par de cosas y le dio la nota a Jessica.

–Esta es más o menos su talla, pero que traigan algo de una talla más y una menos por si estoy equivocado. Quiero el conjunto completo, con los zapatos. Te he apuntado su número.

–¿Algo más, señor?

–Sí. Quiero que sea la mujer más bella de la gala. Ya lo es por sí misma, pero quiero un vestido que esté a su altura, sea cual sea el precio.

Capítulo Ocho

Liam quería haber acompañado a Francesca a la gala, pero ella había insistido en que tenía que ir temprano, así que se encontrarían allí. Probablemente se pasase la noche de un lado a otro, lo que significaba que Liam tendría que estar solo. En otras circunstancias, no le habría importado, pero últimamente sentía una extraña tensión en el pecho cuando estaba separado de Francesca. Y lo único que la curaba era tenerla entre sus brazos.

Entró en el gran salón del hotel y escuchó la música de la orquesta y el murmullo de varios cientos de personas. La luz era tenue, pero sus ojos no tardaron en acostumbrarse a ella. Buscó a Francesca con la mirada, pero pronto empezó a pensar que era una causa perdida. Era como buscar una aguja en un pajar.

A pesar de haber sido él quien había comprado el vestido que Francesca lucía esa noche, no tenía ni idea de cómo era. Aun así, había acertado con el regalo y ella se lo había agradecido de varias maneras distintas a lo largo de la semana.

De repente, entre la multitud que había junto a la barra, encontró su aguja en el pajar. Era evidente que el *personal shopper* de los grandes almacenes le había hecho caso. Francesca era la mujer más impresionante de la fiesta. Liam estaba convencido, no necesitaba mirar a su alrededor para comprobarlo.

El vestido era negro y gris. Dejaba sus hombros al descubierto y le llegaba hasta la rodilla, donde se convertía en una delicada cascada de plumas de marabú. El escote, también ribeteado de plumas, realzaba sus pechos de manera elegante. No era tan pronunciado como para que Liam sintiese celos de las miradas de otros hombres, pero a él le llamaba la atención. Francesca llevaba el pelo recogido y su largo cuello parecía estar esperando sus besos. Las únicas joyas que llevaba eran unos pendientes de diamantes y una pulsera.

Francesca se giró a hablar con alguien y Liam vio que, en la espalda, las plumas caían hasta el suelo. Era un vestido elegante y muy sexy. Y lo mejor de todo era que lo llevaba puesto su prometida.

Intentaba no pensar en ella como su prometida, porque eso implicaba más cosas de las que en realidad había entre ambos, pero no podía evitar sentir que era suya, sobre todo, cuando la veía hablando con otro hombre. En esos momentos, deseaba acercarse a ella y besarla apasionadamente, para que todo el mundo supiese que era suya.

Francesca levantó la mano para enseñar el anillo de compromiso. A pesar de la distancia que había entre ambos, Liam vio brillar la joya y sonreír a su prometida. Por el momento, irradiaba la felicidad que una futura novia debía irradiar. El hombre con el que estaba le dijo algo y luego se marchó, y ella echó a andar hacia donde estaba él.

En cuanto sus miradas se cruzaron, Francesca se detuvo en seco. Entonces esbozó una seductora sonrisa, separó los brazos e hizo un giro para mostrarle el vestido. Liam tuvo que cerrar los puños al ver su espalda morena completamente desnuda.

Se acercó a ella todo lo rápido que pudo, pero sin correr por el salón. De cerca, los pequeños cristales del vestido brillaban mucho, pero, sin duda, no tanto como Francesca.

–¿Qué te parece? ¿Me he gastado bien tu dinero?

Sin pensar en que podía estropearle el esmerado maquillaje, se inclinó a besarla. No pudo evitarlo.

Cuando se apartó, la vio sonreír.

–Supongo que sí.

–Estás increíble –le dijo él.

–Gracias por regalármelo. Cuando vinieron con él me sentí como una nominada a los Oscar, con varios diseñadores peleándose porque luciese sus diseños en la alfombra roja.

–Hollywood ha perdido mucho sin ti en la gran pantalla.

–Venga ya –le dijo ella, golpeándolo suavemente en el brazo–. Ahora no nos oye nadie, así que no hace falta que me halagues.

Liam sacudió la cabeza.

–Te lo digo de todo corazón y te lo habría dicho igualmente si hubiésemos estado solos. Aunque, en ese caso, te lo diría mientras te bajaba la cremallera del vestido.

Francesca sonrió y entrelazó su brazo con el de él.

–Voy a enseñarte nuestra mesa. La gente todavía está echando un vistazo a los objetos, pero la subasta no tardará en empezar. Tú darás el discurso justo después de que pongan el vídeo en el que salen las instalaciones para los chicos.

El discurso. A Liam casi se le había olvidado al verla tan guapa.

–Estupendo –dijo.

–¿Lo has traído?

El se tocó la solapa.

–Aquí está. Y, además, lo he escrito yo solo. No te tenido que sobornar a nadie.

–Estoy deseando escucharlo.

Llegaron a una mesa redonda, situada en la parte delantera del salón, justo al lado de las escaleras que daban al escenario. Liam separó la silla de Francesca para que se sentase y ocupó la suya justo en el momento en el que la orquesta empezó a tocar con más fuerza y las luces del escenario cambiaron para indicar que la gala iba a empezar.

Mientras el director de Youth in Crisis saludaba a los asistentes y presentaba un vídeo acerca de su obra, les sirvieron una ensalada.

Liam no se la pudo comer. Según iba transcurriendo el vídeo, a él se le iba revolviendo el estómago de pensar en que tenía que dar un discurso ante trescientas personas.

Cuando los títulos de crédito finales empezaron a salir, Francesca tomó su mano y se la apretó suavemente.

—Te toca —le dijo—. Vas a hacerlo muy bien.

Liam le dio un buen sorbo a su copa de vino y se levantó de la mesa. Se dirigió hacia las escaleras y subió al escenario, donde los cegadores focos blancos lo bañaron. Buscó el papel en el que llevaba escrito el discurso en el bolsillo de la chaqueta, ajustó el micrófono e intentó controlar los frenéticos latidos de su corazón. Había llegado la hora de la verdad.

—Gracias y bienvenidos a todos a la octava gala benéfica de Youth in Crisis. Como algunos sabréis, acabo de adquirir la cadena de noticias ANS, que lleva años comprometida con esta organización. Es una relación de la que estoy orgulloso y son muchas las personas que trabajan para hacerlo posible.

Miró justo delante del podio, donde estaba Francesca. Su expresión de emoción le dio fuerzas para continuar, lo tranquilizó de tal manera que su corazón se calmó y dejaron de temblarle las manos. Con ella allí sentada, animándolo, sería capaz de terminar el discurso.

—En primer lugar, quiero darle las gracias a la vicepresidenta ejecutiva de promoción comunitaria de ANS y organizadora del evento de esta noche, mi preciosa prometida, Francesca Orr. Para aquellos que todavía no conocen a Francesca, diré que está muy entregada a la causa. Después de lo ocurrido en la cadena durante los últimos meses, no era seguro que pudiésemos seguir patrocinando este acontecimientos tal y como habíamos hecho durante los siete últimos años.

Hizo una breve pausa antes de continuar.

–Bueno, debo decir que Francesca no lo dudó en ningún momento. Habría estado dispuesta a donar su sueldo para organizar la gala. Espero que todo el mundo se lo agradezca con un buen cheque para la causa. Yo también voy a hacer una importante donación esta noche, será mi regalo de compromiso para mi futura esposa.

La multitud se echó a reír y él continuó con el discurso mientras le guiñaba un ojo a Francesca.

A Francesca le encantaba su vestido. Era precioso, pero después de una larga noche, se alegró de poder quitárselo, cambiarlo por un vestido sencillo y poder guardarlo en el bolso de viaje que había llevado al hotel. No podía meterse con tantas plumas en su pequeño BMW. Se cambió también los tacones por unos zapatos planos y suspiró aliviada. Sus pies por fin podían descansar y, además, la gala había sido un éxito y, sobre todo, se había acabado.

Estaba terminando de recoger cuando Liam la encontró. El salón se había quedado prácticamente vacío.

–Me ha dolido mucho escribir ese cheque –comentó este–. Recuérdame que la próxima vez que vea al prometido de Scarlet le dé una buena patada en el trasero por haber donado semejante cantidad.

Ella sonrió, se incorporó y se giró a mirarlo. Llevaba la pajarita desatada y el primer botón de la camisa desabrochado. Su aspecto era informal, sexy y elegante al mismo tiempo.

–Daniel sabe que es por una buena causa, y tú también deberías saberlo. Además, es una buena fuente de deducción de impuestos –añadió ella.

–Ha merecido la pena, solo por ver tu cara cuando han anunciado la cantidad.

–No podía creerlo. Hemos superado con creces la cantidad del año pasado. Esta noche, todo el mundo estaba encantado con ANS, y con motivo.

Francesca se colgó el bolso del hombro y tomó el brazo de Liam.

–Ya era hora –dijo él, dirigiéndose a la puerta principal del hotel.

Al llegar al exterior, le dio el ticket de aparcamiento al portero.

–Yo he aparcado allí –comentó Francesca, señalando el lugar en el que había dejado el coche, hasta donde no le apetecía andar.

–Volveremos a por tu coche mañana por la mañana –le dijo él–. Esta noche quiero que vengas conmigo.

A Francesca aquello le pareció un avance interesante. Liam quería llevarla a su casa. Hasta el momento, solo habían estado en la de ella y, esa noche, habría preferido que lo hiciesen también. No tenía ropa de cambio, solo la que había llevado al hotel y el vestido de fiesta que, a pesar de ser precioso, le quedaría ridículo por la mañana.

–No tengo ropa para mañana –le respondió.

–No la vas a necesitar –dijo él, sonriendo con malicia.

El portero les llevó el coche y Francesca prefirió no discutir. Estaba demasiado cansada para hacerlo. Metió sus cosas en el coche descapotable de Liam y se sentó en el asiento del copiloto. Se dejó llevar. En realidad, no se espabiló hasta que llegaron a casa de Liam.

Este la había descrito como una casa un poco más grande que la de ella, pero había mentido. Era una casa de dos plantas, con un jardín delantero, una puerta en forma de arco y ventanas en el tejado.

–Pensé que vivías en un adosado.

Liam se encogió de hombros.

–Es más o menos eso.

Salió del coche, lo rodeó y le abrió la puerta a Francesca, acompañándola hasta unas escaleras que daban a la casa.

Entraron por la cocina, que tenía los armarios blancos, con el frontal de cristal, electrodomésticos de acero inoxidable y encimeras de granito grises. No había ni un plato en el fregadero ni un solo papel en la encimera.

Liam tomó su bolso y la condujo hasta la entrada principal, donde lo guardó en un armario. Ella dejó la pequeña bolsa de viaje en el suelo, junto a la puerta, y entró en el salón.

–Es muy bonito –comentó, acercándose a la escalera y pasando la mano por la barandilla de madera.

Aunque era cierto que podía serlo todavía más. Era un lugar con mucho potencial. Tal y como el propio Liam le había dicho, estaba decorado como si acabase de mudarse. Las paredes eran blancas, los suelos era de madera y había muy pocos muebles. No había ni una sola obra de arte ni ningún objeto personal en las estanterías. Era como una casa piloto, lista para vender.

—Pero es verdad que le falta un toque femenino —admitió.

—Ya te dije que necesitaba que me ayudases a decorarla.

—No pensé que sería una tarea tan ardua.

Liam se quitó la chaqueta del esmoquin y la dejó sobre el brazo del sofá.

—¿No es como te imaginabas?

—Supongo que esperaba que el lugar reflejase más cómo eres tú. Parecías tan reacio a compartirlo que pensé que estaría lleno de objetos personales.

—¿Piensas que mi casa no refleja cómo soy?

Francesca volvió a mirar a su alrededor.

—La verdad es que no. Aunque supongo que debía de habérmelo imaginado. Es la casa de alguien tan inmerso en su trabajo que no ha tenido tiempo de convertirla en un hogar. Y pienso que eso dice mucho de ti.

Liam la miró con los ojos entrecerrados.

—El trabajo me parece más importante que el color de las paredes.

–Para mí también es muy importante el trabajo, pero también intento sacar tiempo para hacer otras cosas. Quiero casarme algún día y formar una familia. Y quiero hacerlo con un hombre que no solo tenga éxito profesional, sino que, además, sea capaz de disfrutar de la vida en familia. Sin eso, uno se quema.

Al decir aquello, Francesca se dio cuenta de que tal vez hubiese cometido un grave error táctico con Liam. Él no parecía haberse dado cuenta de sus palabras, pero lo cierto era que ella, al hablar de formar una familia, no había podido evitar imaginarse casada con Liam.

Como tampoco había podido evitar imaginarse aquella casa llena de color y vida, y de niños que se parecían a él.

Sin darse cuenta, había implicado poco a poco a su corazón. Había ocurrido tan lentamente, durante las últimas semanas, que no se había percatado del cambio hasta que era demasiado tarde.

Liam no lo sabía, pero se había enamorado de él.

Y jamás sería suyo.

En realidad, no había pensado que pudiese ocurrir. Era una mujer apasionada en todo lo que hacía, pero siempre había sabido que lo que había entre ellos era solo un acuerdo comercial, que no tenía ningún futuro con un hombre como Liam.

Y, no obstante, no podía evitar imaginarse un futuro con él. Lo veía tan claro como el agua de la piscina que se dejaba entrever por la ventana del salón.

—Hay tiempo de sobra para todo eso —comentó él.

Aquel hombre adicto al trabajo tenía tanto por descubrir que Francesca no sabía por dónde empezar. Estaba segura de que era mucho más de lo que enseñaba al mundo. Se preocupaba por sus empleados, quería hacer las cosas bien con Ariella. Prestaba una atención a los detalles que iba mucho más allá de hacer un trabajo de calidad. Hacía las cosas de manera tan apasionada como ella.

¿Cómo no iba a quererlo por eso?

Francesca tragó saliva y le dio la espalda para mirar por la ventana, hacia la piscina azul. Lo quería. No podía mirarlo a los ojos mientras pensaba aquello. Liam se daría cuenta. Y no podía saberlo.

No podía saberlo porque lo suyo no funcionaría jamás.

A pesar de querer un futuro con él, Francesca sabía que en aquel puzle faltaba una pieza. Su amor no era correspondido. Liam no habría estado con ella en esos momentos si no hubiese sido por las exigencias de su tía. Aquella era una píldora amarga, difícil de tragar, pero era la realidad y Francesca no debía olvidarlo. Cuanto más lo recordase, menos sufriría cuando lo suyo se terminase.

—¿Quieres ver la parte de arriba?

Francesca recuperó la compostura y asintió

115

con una sonrisa. Liam la guio escaleras arriba y le enseñó su despacho, la habitación de invitados y, por último, su habitación.

Ella supo que habían llegado a su destino, así que se quitó los zapatos y pisó la mullida alfombra. Pasó la mano por la colcha suave de color azul y se acercó a la ventana. Vio las luces de la ciudad brillar en la oscuridad de la noche, por encima de los árboles. En una noche así, lo que necesitaba realmente era una señal que la ayudase. Algo que le indicase si estaba tomando las decisiones adecuadas con Liam.

Se llevó la mano al colgante del *corno portafortuna* y se dio cuenta de que esa noche se lo había quitado. Aquello fue como un jarro de agua fría. Sin él, se sentía desprotegida. Bajó la vista y vio un conejo en el jardín de Liam. De repente, algo asustó al animal, que salió corriendo y pasó justo por delante de ella.

Eso anunciaba una decepción.

Francesca respiró hondo y aceptó lo inevitable. Estaba enamorada de un hombre al que no podía tener. No hacía falta que un conejo le dijese que iba a llevarse una gran decepción.

Notó el calor del cuerpo de Liam en la espalda y la sensación fue agridulce. Su mente intentó evitarlo, pero su cuerpo se apoyó en el de él. Sintió su pecho denudo en la espalda, sus dedos bajándole los finos tirantes del vestido.

Este cayó al suelo, dejándola completamente desnuda. Liam le acarició la piel, recorrió su cuerpo y dudó al llegar a las caderas.

–¿No llevas braguitas? –le preguntó.

Esa noche no se había puesto ropa interior. El vestido se ceñía tanto a su cuerpo que no había podido llevarla. Además, había sabido desde el principio cómo terminaría la velada.

–No puedo permitir que me destroces toda la lencería –comentó.

–Muy práctico por tu parte. Y muy sexy. Todo en ti me gusta. No sé si voy a ser capaz de dejarte cuando llegue el momento.

Francesca cerró los ojos y se alegró de estar de espaldas a él. En ocasiones, deseaba que no le dijese aquellas cosas. Le gustaba oírlas, pero le dolía pensar que, en realidad, no eran ciertas. En cuanto su tía le diese lo que quería, aquella farsa llegaría a su fin. Al menos, Francesca no tendría que fingir que le habían roto el corazón. Las lágrimas que derramase sobre el hombro de Ariella serían auténticas.

–Mírame –le susurró Liam al oído.

Ella se giró entre sus brazos con la esperanza de que no se le notase que tenía los ojos húmedos. Todavía no habían terminado. Tenía que aprovechar el tiempo que les quedaba juntos.

Lo miró a los ojos azules y se perdió en ellos. Lo abrazó por el cuello y se puso de puntillas para acercarse más. Los labios de Liam la tocaron y se dejó llevar. Notó sus manos acariciándola, su piel contra la de ella, y sintió un inmenso placer que no podía dejar de disfrutar, aunque eso implicase arriesgar todavía más su corazón.

Atravesaron la habitación pegados, hasta llegar a la cama. Francesca cayó boca arriba sobre la colcha y Liam no tardó en cubrir su cuerpo con el de él.

La acarició con los labios y con las manos y ella notó algo diferente. La urgencia de sus primeros encuentros había desaparecido y se había visto reemplazada por una pasión lenta, pausada. Liam parecía estar saboreando cada centímetro de su piel. Al principio, Francesca se preguntó si no habría bebido demasiado champán esa noche. Tal vez estuviese viendo cosas que no había en realidad.

Pero entonces Liam la llenó por completo. Empezó a moverse muy despacio encima de ella, enterró el rostro en su cuello. Francesca notó su aliento caliente en la piel, sintió cómo se tensaban todos sus músculos, lo oyó gemir su nombre y se estremeció.

Lo abrazó por la espalda para pegarlo todavía más a ella. Le gustaba tenerlo así de cerca. Aquello no tenía nada que ver con el salvaje encuentro de la cocina. No se parecía en nada a cómo habían hecho el amor la semana anterior. Algo había cambiado, pero no sabía lo que era. Parecía...

Era como si estuviesen haciendo el amor por primera vez.

La idea hizo que a Francesca se le detuviese el corazón un instante, pero prefirió no darle más vueltas. Liam la besó en el cuello y la golpeó con las caderas, y ella sintió un delicioso calor por todo el cuerpo. Se aferró a él y notó cómo iba llegando al límite poco a poco.

Cuando alcanzó el clímax no gritó. Solo suspiró y susurró su nombre con desesperación.

Él dejó escapar un profundo gemido y dejó de moverse.

Luego, en vez de apartarse, se quedó así. Relajó el cuerpo sobre el de ella y apoyó la cabeza en sus pechos. Francesca le apartó un mechón de pelo húmedo de la frente y le dio un beso.

Mientras ambos se quedaban dormidos, uno de los últimos pensamientos de Francesca fue que estaba completamente perdida en aquel hombre.

Capítulo Nueve

–Tía Beatrice –dijo Liam, intentando parecer contento.

El maître los había acompañado, a Francesca y a él, hasta la mesa en la que los esperaba su tía que, al oírlo, levantó la vista y frunció el ceño.

–Liam, ¿es que nunca llevas corbata?

Él sonrió. Había conseguido que su tía le dijese lo que pensaba, e iba a disfrutar todavía más no respondiendo a su pregunta. Se giró hacia la derecha y sonrió.

–Esta es mi prometida, Francesca Orr. Francesca, te presento a mi tía, Beatrice Crowe.

Francesca alargó la mano.

–Encantada de conocerla –saludó.

Tía Beatrice le dio la mano y se limitó a asentir mientras la estudiaba con mirada crítica. Liam iba a interrumpir la inspección cuando su tía se giró hacia él y casi con una sonrisa en el rostro comentó:

–En persona es todavía más encantadora que en las fotos, Liam.

Él suspiró aliviado y ayudó a Francesca a sentarse. Aquella cena no le apetecía lo más mínimo. De hecho, no le había hablado de ella a Francesca hasta después de la gala para no preocuparla.

No tenía sentido. De todos modos, su tía podía pensar y hacer lo que quisiera.

–Estoy de acuerdo contigo –le respondió.

Durante los primeros platos de la cena, todos se intercambiaron cumplidos. Su tía interrogó sutilmente a Francesca acerca de su familia y sus orígenes.

Liam supo que estaba intentando encontrarle defectos, y Francesca debió de darse cuenta también, porque no tardó en cambiar el rumbo de la conversación.

–¿Y qué la trae a Washington? –le preguntó.

Liam pensó que, evidentemente, ir a comprobar que estaba prometido de verdad, pero se calló.

–Mañana voy al Congreso –dijo tía Beatrice mientras el camarero se llevaba su plato.

Hasta entonces, Liam había pensado que aquello era una excusa para ir a Washington.

–¿Y eso? –le preguntó.

Su tía hizo una mueca y se quedó pensativa antes de responder.

–Voy a hablar con el comité que lleva la financiación federal de la investigación del tratamiento del cáncer.

Liam no pudo evitar fruncir el ceño. No supo qué responder.

–¿Ha perdido a alguien por culpa del cáncer? –preguntó Francesca.

–Todavía no –respondió la otra mujer–, pero los médicos me han dado entre tres y seis meses de vida. El tiempo justo para dejar las cosas en orden antes de marcharme para siempre.

121

Liam dejó el vaso de vino que tenía en la mano encima de la mesa.

–¿Qué?

No podía haber oído bien.

–Me estoy muriendo, Liam. Tengo un tumor cerebral en fase terminal y no pueden hacer nada al respecto. El tratamiento me ha dado algo más de tiempo, pero poco más.

Liam, que no se sintió capaz de mirarla a los ojos, estudió su pelo gris y se dio cuenta, por primera vez, de que era una peluca.

–¿Desde cuándo estás enferma? ¿Por qué no se lo has dicho a nadie?

Al oír aquello, su tía se echó a reír.

–Por favor, Liam. Los buitres llevan años volando sobre mi cabeza. ¿Cómo iba a avisarles de que estaba llegando la hora de comer?

Aquello era cierto. Liam se dio cuenta de que aquel era el motivo por el que su tía había insistido tanto en que se casase y se pusiese al frente de la familia. Había sabido que le quedaba poco tiempo. Y le había dado un año a pesar de saber que no iba a vivir tanto tiempo.

–¿Cómo has podido pasar por algo así tú sola? Necesitas a alguien a tu lado.

–Tengo a alguien. Henry lleva más de cuarenta años conmigo. Me ha dado la mano en los peores momentos. Me ha hecho compañía mientras yo lloraba.

Henry. Liam no había entendido nunca por qué seguía con su tía a pesar de tener edad suficiente para estar jubilado. Acababa de comprenderlo. Ninguno de los dos se había casado. Habían vivido en una época en la que no podían estar juntos debido a las diferencias sociales que había entre ambos, pero, no obstante, se habían querido. Habían vivido juntos sin que nadie lo supiese.

Pero Henry iba a perderla. Liam sufrió en silencio por aquel hombre silencioso y paciente al que conocía de toda la vida.

—No sé qué decir, tía Beatrice. Lo siento mucho.

—¿Hay algo que podamos hacer? —preguntó Francesca, que había metido la mano por debajo de la mesa para tomar la de Liam y apretársela en silencio.

Él agradeció el apoyo. Era como su mera presencia en el discurso, hacía que se sintiese más fuerte, capaz de cualquier cosa.

—Lo cierto es que sí, me gustaría que os caseseis este mismo fin de semana, aprovechando que estoy en la ciudad.

—¿Qué? —preguntó Liam con demasiada brusquedad.

—Sé que, en principio, te había dado un año, pero me temo que tengo que adelantar la fecha. Quiero asegurarme de que me da tiempo a hacer las gestiones necesarias antes de dejaros. Además, quiero que os caséis mientras yo esté en condiciones de disfrutar de la recepción.

Francesca le apretó la mano con fuerza. Se suponía que no iban a llegar tan lejos. Liam no había esperado algo así.

—¿Este fin de semana? Es lunes por la noche. Eso es imposible.

–Con dinero no hay nada imposible. Estoy alojada en el hotel Four Seasons. Esta mañana he hablado con el gerente y me ha dicho que puede celebrar la boda el viernes por la noche. Tienen una terraza preciosa para la ceremonia y el salón Corcoran para la recepción.

Liam notó que se le hacía un nudo en la garganta. Se giró hacia Francesca, que tenía la mirada clavada en el plato. Su expresión era indescifrable. Parecía algo más pálida de lo habitual a pesar de ser de tez morena. Era evidente que aquello le gustaba tan poco como a él.

–No sé por qué vas a esperar más de lo necesario –continuó su tía, llenando el silencio–. Al fin y al cabo, has encontrado a una mujer maravillosa. Y es evidente que los dos estáis muy enamorados.

Estaba claro que su tía sabía que aquello era una farsa. Liam pensó que habían fingido muy bien. Había creído que eso sería suficiente para apaciguarla hasta el momento en que tuviese la financiación necesaria para comprarle las acciones, pero su asesor financiero le había dicho que la cantidad que necesitaba era casi imposible de obtener, sobre todo, teniendo en cuenta la vulnerabilidad de la cadena en esos momentos. Estaban buscando otras alternativas, pero eso llevaría tiempo. Sin duda, más de una semana.

Tía Beatrice los estaba poniendo a prueba y Liam tenía demasiado en juego como para confesar.

El camarero llegó con el postre. A su tía nunca le habían gustado mucho los dulces, pero asintió complacida al ver ante ella el que había pedido. Liam supuso que no tenía sentido cuidarse cuando uno sabía que iba a morir. ¿Para qué?

Tía Beatrice se llevó una cucharada de cremosa mousse de chocolate a los labios y cerró los ojos para disfrutarla. A Liam se le había quitado el hambre.

–No cometas los mismos errores que yo, Liam. La vida es demasiado corta para esperar a encontrar a la persona con la que quieres pasar el resto de tus días, te lo aseguro.

Al oír aquello, Francesca apartó la mano de la de él. De repente, Liam se sintió muy solo.

–Tendremos que hablarlo, tía Beatrice. La familia de Francesca es de California. Celebrar una boda es mucho más que reservar el salón. No obstante, seguiremos en contacto.

Liam separó su silla de la mesa para ponerse en pie y Francesca lo imitó.

–¿No os vais a terminar el postre? –les preguntó su tía.

–Hay mucho que hacer. Lo siento, pero tenemos que marcharnos.

Su tía tomó otra cucharada de postre. No parecía importarle que se fuesen así.

–Está bien. Yo me lo llevaré al hotel. Seguro que Henry lo disfruta.

El coche de Liam se detuvo delante de casa de Francesca, pero ninguno de los dos salió. Habían ido todo el trayecto desde el restaurante en silencio. Ambos debían de estar en shock, aunque Francesca estaba segura de que sus motivos eran diferentes.

Cuando la tía de Liam había empezado con aquello, este le había pedido a Francesca que fingiese ser su prometida. Nunca se había hablado de una boda. Él le había asegurado que no llegarían tan lejos. Y a ella le había parecido bien, a pesar de saber que, poco a poco, se estaba enamorando de él. Sintiese lo que sintiese, lo suyo no tenía futuro. Ella quería el tipo de matrimonio que Liam jamás podría darle y, además, aquello era solo un acuerdo comercial.

Pero tener que casarse con él era otra cosa.

No solo porque sabía que jamás funcionaría, sino porque, en parte, quería casarse con él. Lo amaba. Quería ser su novia, pero no así. Francesca quería casarse con un hombre que la amase, no que fuese a casarse con ella por obligación.

Cuando Liam apagó el motor, ella encontró el valor necesario para hablar.

–¿Qué vamos a hacer?

Él se giró a mirarla; era evidente que estaba agobiado. Podía perder todo aquello por lo que tanto había trabajado, y no era el único. Tal vez a Francesca no le gustasen los métodos de tía Beatrice, pero la comprendía. La desesperación hacía cometer locuras a la gente. Y aquella era una situación muy difícil para todos los implicados.

–Mi tía me quiere poner a prueba. Y voy a tener que plantarle cara. Mañana le diré que nuestro compromiso era mentira y que no vamos a casarnos. No creo que le venda las acciones a Wheeler. No es lo que quiere. Está acostumbrada a salirse siempre con la suya, pero no es una mujer vengativa –comentó, pasándose la mano por el pelo–. Al menos, no creo que lo sea.

Francesca frunció el ceño. No le gustaba aquel plan. No había tenido la sensación de que Beatrice Crowe fuese una mujer cariñosa y maternal. La tía de Liam no tenía nada que perder. Si estaba dispuesta a obligarlo a casarse, sería capaz de cumplir su amenaza.

–No puedes arriesgarte, Liam.

–No tengo elección. No puedo pedirte que te cases conmigo. Eso no formaba parte del trato. Jamás pensé que tendríamos que llegar tan lejos.

Ella tampoco, pero la vida no siempre salía como uno la planeaba.

–¿Cuándo conseguirías las acciones?

Liam suspiró.

–Eso da igual. No voy a hacerlo. Mi tía ha llevado esto demasiado lejos.

–Venga. Dímelo –insistió ella.

–Tengo que estar casado un año y recibiré las acciones de ANS como regalo de primer aniversario.

Un año. En realidad, no era tanto tiempo, pero Francesca se había enamorado de Liam en tan solo un par de semanas. ¿Qué más daría aguantar un año? Al fin y al cabo, el daño ya estaba hecho. Tal vez un año de matrimonio la curaría de su aflicción. Así tendría tiempo de descubrir sus defectos y, quizás, un año después ya no podría ni verlo.

Y si se daba el caso de que llegaba a amarlo todavía más... No tenía elección. Si no se casaban, la cadena se vendría abajo. Ambos estaban demasiado implicados en la empresa para permitir que eso ocurriera. Su corazón lo superaría. Era un precio alto de pagar, pero merecería la pena la recompensa.

—Tenemos que casarnos —afirmó.

Liam abrió mucho los ojos.

—No. De eso nada.

Francesca no pudo evitar hacer un puchero. Sabía lo que Liam quería decir, pero no pudo evitar que una parte de ella se sintiese dolida.

—¿Tan horrible te parece casarte conmigo que prefieres arriesgarte a perder la cadena? —le preguntó.

Liam se inclinó y tomó su rostro con ambas manos para darle un tierno beso antes de contestarle:

—En absoluto. Sería un hombre muy afortunado casándome contigo. Estuviésemos juntos un año o veinte, pero no voy a hacerte eso.

—¿Qué quieres decir?

—Que tú crees en el matrimonio. Quieres un matrimonio como el de tus padres. He visto cómo se te ilumina el rostro cuando hablas de su relación. No puedo ofrecerte eso, así que tampoco puedo pedirte que te arriesgues a perderlo.

Francesca no podía decirle que lo quería a él, porque sabía que si Liam se enteraba de que se había enamorado, jamás accedería a que se casasen. La había escogido porque había pensado que sería capaz de ser objetiva. Si se enteraba de la realidad, ANS estaría perdida.

Francesca tomó sus manos y las bajó de su rostro.

—Soy una mujer adulta, Liam. Sé lo que estoy haciendo.

—No puedo pedirte algo así —insistió él con el ceño fruncido.

Estaba intentando encontrar otra respuesta, pero ambos sabían que no la había.

—Eres la persona adecuada para dirigir ANS. Nadie conseguirá que la cadena se recupere si no eres tú. Ron Wheeler acabará con ella en un par de meses —le dijo Francesca, mirándolo a los ojos para intentar convencerlo de su sinceridad—. Es solo un año. Cuando consigas las acciones, cada uno seguirá su camino.

—¿Y qué hay de tus amigos y tu familia? Una cosa es mentir acerca de un compromiso y decir después que se ha roto y, otra muy distinta, casarse. ¿Vas a ser capaz de mirar a tu padre a los ojos y decirle que me amas antes de que este te lleve al altar?

Francesca se tragó el nudo que se le había hecho en la garganta. Estaba muy unida a sus padres, que la conocían muy bien. Aquello iba a ser duro, pero podría hacerlo porque era verdad. Mientras que no le preguntasen si Liam la quería a ella…

—Sí, voy a ser capaz.

—¿Y tu casa? Tendrás que mudarte conmigo.

Aquello también sería difícil. A Francesca le

129

encantaba su casa. No se imaginaba viviendo en ningún otro lugar, pero la casa de Liam tenía mucho potencial. Podría hacerla suya durante un tiempo.

—La alquilaré.

—No hará falta. Yo cubriré los gastos mientras esté vacía.

—¿No le parecerá raro a tu tía?

—Sé que va a sonar un poco mal, pero si lo que mi tía ha dicho es cierto, no vivirá el tiempo suficiente para ver lo que hacemos.

No obstante, a Francesca le parecía que no era la clase de mujer que dejaba ningún cabo suelto.

—Supongo que ya tendremos tiempo para preocuparnos por los detalles.

Luego guardó silencio unos segundos, mientras procesaba todo lo que habían estado hablando.

—Entonces… ¿decidido? ¿Nos casamos este fin de semana?

Liam apoyó la espalda en el respaldo de su asiento. Se quedó pensativo unos minutos.

Francesca esperó su respuesta, no podía hacer otra cosa.

—Supongo que sí.

—Vas a tener que fingir algo más de entusiasmo —le dijo Francesca—. Se lo tendremos que contar a todo el mundo esta noche para que las personas que viven fuera de Washington tengan tiempo de organizar el viaje.

Él asintió y agarró el volante como si alguien fuese a quitárselo.

–Le pediré a Jessica que vuelva a llamar a Neiman para que te ayuden a buscar el vestido de novia. ¿Puedes hablar tú con Ariella y Scarlet mañana? Hicieron un gran trabajo con la fiesta de compromiso, a lo mejor son capaces de hacer un milagro y organizar la boda en tres días.

–Las llamaré. Aunque van a pensar que nos hemos vuelto locos.

Liam rio con amargura.

–Es que nos hemos vuelto locos. Vamos dentro.

Entraron en casa de Francesca y ella fue directa a la cocina. Necesitaba tomarse algo para tranquilizarse y tenía un merlot que iba a sentarle muy bien.

–¿Quieres vino? –le preguntó a Liam.

–Sí, gracias.

Este la siguió y esperó a que sirviese las copas y, cuando le dio la suya, miró su mano con curiosidad unos segundos y luego le preguntó:

–¿Puedo ver tu anillo un momento?

Francesca frunció el ceño y lo miró antes de quitárselo.

–¿Le pasa algo?

Había intentado cuidarlo lo máximo posible para poder devolverlo intacto cuando llegase el momento.

–No exactamente.

Liam lo estudió y luego apoyó una rodilla en el suelo de la cocina.

Francesca abrió mucho los ojos, sorprendida.

–¿Qué haces?

–Te pedí que fueses mi prometida, pero no si querías casarte conmigo. He pensado que debo hacerlo.

–Liam, no es necesa...

–Francesca –la interrumpió, tomando su mano–. Eres una mujer bella, cariñosa y apasionada. Sé que ninguno de los dos esperábamos que las cosas saliesen así. También sé que no es la boda con la que habías soñado desde niña, pero si eres mi esposa durante un año, prometo ser el mejor marido. Francesca Orr, ¿quieres casarte conmigo?

Aquello no era real. Faltaban las promesas de amor y devoción para el resto de su vida, pero Francesca no pudo evitar que se le llenasen los ojos de lágrimas. Porque le parecía real. Porque quería que fuese real.

Todas las emociones que habían ido creciendo en su interior salieron a flote en ese momento. Avergonzada, se llevó la mano a la boca y sacudió la cabeza.

–Lo siento –le dijo–. No me hagas caso. Han sido unas semanas muy duras y creo que no puedo más.

–La verdad es que no es la reacción que esperaba –le dijo él, sonriendo.

Francesca respiró hondo y se abanicó los ojos.

–Lo siento. Sí, me casaré contigo.

Liam le puso el anillo. Luego se levantó sin soltarle la mano y le acarició suavemente el dorso con el dedo pulgar antes de besársela.

–Gracias.

A Francesca le sorprendió ver que le brillaban

los ojos. No era amor, pero era emoción. En aquel matrimonio había mucho en juego. Estaba segura de que Liam era sincero. Sería el mejor marido que pudiese teniendo en cuenta que no estaba enamorado de su esposa.

Liam la tomó entre sus brazos y la apretó contra su cuerpo. Ella metió la cabeza bajo su barbilla y se dejó llevar. Se sentía bien en brazos del hombre al que amaba. Tal y como le había dicho unos minutos antes, las dos últimas semanas habían sido emocionalmente agotadoras. Y el siguiente año sería todo un reto, pero abrazada a Liam tenía la sensación de que todo iba a salir bien.

Tenía la sensación de que la abrazaría para siempre. Cuando la soltó, ambos habían conseguido controlar sus emociones y estaban preparados para enfrentarse a la semana siguiente.

–Entonces, es oficial –comentó Liam, sonriendo con seguridad–. Vamos a llamar a tus padres.

Capítulo Diez

La casa de Francesca estaba hecha un desastre. Había cajas y papel de embalar por todas partes.

Liam iba a pagar los gastos para no tener que alquilarla, así que podría dejar en ella los muebles más grandes, pero iba a llevarse todo lo demás. Era probable que lo necesitase a lo largo del siguiente año. No era como pasar una noche o un fin de semana largo en su casa. Iba a irse a vivir con el hombre que, en unos días, sería su marido.

Sus padres se lo habían tomado bien. Al menos, eso le había parecido. E iban a organizarlo todo para viajar el jueves por la noche a Washington. La madre de Liam estaba encantada, deseando conocer a Francesca. Tanto esta como la hermana de Liam llegarían el viernes por la mañana.

Lo que habían contado a todo el mundo era que estaban tan enamorados que no podían esperar ni un minuto más a casarse. Podía considerarse increíblemente romántico o estúpido, dependiendo de cómo se mirase. No obstante, las familias de ambos preferían asistir a la ceremonia a que se casasen en secreto, pensasen lo que pensasen de la situación.

Todo iba saliendo adelante, aunque Francesca todavía no estaba tranquila.

Llamaron a la puerta y dejó un montón de cosas en el suelo para ir a abrir. Le había pedido a Ariella que fuese a comer con ella con la esperanza de que Scarlet y ella pudiesen ayudarla a organizarlo todo.

Abrió la puerta y vio a su amiga, pero esta no sonreía de oreja a oreja, tal y como Francesca habría esperado. Tenía el ceño fruncido y parecía preocupada. Tenía ojeras y, sobre todo, llevaba el pelo recogido en una coleta. Aquella no era la Ariella que ella conocía.

–¿Estás bien?

Su amiga la miró y negó con la cabeza de manera casi imperceptible.

Alarmada, Francesca la tomó de la mano y la hizo entrar. La sentó en uno de los mullidos sillones del salón y le dijo:

–Voy a preparar té.

–¿Es demasiado temprano para beber vino? –le preguntó Ariella.

Probablemente lo fuese, pero si su amiga necesitaba vino, se lo daría.

–En absoluto. ¿Blanco o tinto?

–Blanco –respondió Ariella riendo.

Al menos era capaz de reír. Ya era algo. Francesca sirvió dos copas de vino blanco y las llevó al salón junto con un paquete de galletas.

Ariella tardó varios sorbos y unos minutos en empezar a hablar. Dejó la copa en la mesita del café y tomó su bolso. Sacó de él un sobre color marfil y se lo dio a su amiga.

Francesca leyó la carta con incredulidad.

—Es de mi madre biológica, Eleanor Albert —le explicó Ariella, confirmando las sospechas de Francesca.

La carta no contenía mucha información. Era breve y cariñosa, y en ella preguntaba a Ariella si quería escribirle y, tal vez, conocerla. No mencionaba las circunstancias de la adopción, al presidente ni dónde había estado durante los últimos veinticinco años. El único dato que aportaba era una dirección de Irlanda.

—¿Cuándo te ha llegado?

—Ayer por la tarde. A mi casa. Casi nadie tiene la dirección. El correo suele llegarme al trabajo. Creo que la he leído un millón de veces. No he pegado ojo en toda la noche.

A pesar de la expresión de cautela, Ariella no podía ocultar la emoción de su voz. Llevaba mucho tiempo esperando tener noticias de su madre biológica, pero en esos momentos parecía dudar.

Francesca la comprendía. La verdad no siempre era agradable. Las personas no siempre eran como uno se las imaginaba. En esos momentos, la madre de Ariella era como esta se la había imaginado siempre. ¿Qué era mejor, idealizarla o conocerla de verdad?

Francesca miró el sobre y sacudió la cabeza. Después de todo lo que había ocurrido durante los últimos meses, había empezado a sospechar de todo lo relativo a Ariella. No le habría sorprendido que aquella carta la hubiese escrito un periodista para intentar conseguir más detalles de la historia. No obstante, dudó antes de comentarlo en voz alta. No quería hacerle daño a su amiga.

–Venga, dilo –la alentó Ariella.

Francesca frunció el ceño y le devolvió la carta.

–Me alegro por ti. Sé que siempre has querido conocer a tus padres biológicos. Y esto podría ser un paso en la dirección correcta. Espero que lo sea. No obstante, ten cuidado con lo que dices hasta que estés segura de que se trata realmente de tu madre. Y, aun así, no descartes la posibilidad de que esta acuda a la prensa a cambio de dinero.

Ariella asintió y volvió a meterse la carta en el bolso.

–Lo mismo he pensado yo. Voy a responder, pero con cautela. No quiero ser la víctima de un despiadado periodista.

–Seguro que la carta es de tu madre, pero nunca está de más tener cuidado.

Ariella tomó su copa de vino y luego miró a su alrededor.

–¿Qué está pasando aquí?

–Me mudo.

Ariella arrugó la nariz y miró las cajas que había a su alrededor.

–¿Te vas a vivir con Liam? ¿Tan pronto? –preguntó.

–Sí.

–Vaya. Veo que vais muy deprisa. Espero que lo siguiente no sea que te vas a casar con él dentro de una semana y media.

–No –le aseguró Francesca–. Nos vamos a casar el viernes.

Ariella dio un buen sorbo a su copa de vino antes de volver a hablar.

–Es martes.

–Ya lo sé.

–¿Por qué tenéis tanta prisa? ¿Alguno de los dos tiene una enfermedad terminal?

–Tanto Liam como yo gozamos de buena salud –dijo Francesca, que no quería mencionar la enfermedad de la tía de este–. Es solo que hemos decidido que no tiene sentido esperar más. Estamos enamorados y queremos casarnos lo antes posible.

Ariella suspiró y apoyó la espalda en el sillón.

–A Scarlet le va a dar un ataque. Organizar una boda en tres días va a ser una pesadilla.

–Ya tenemos sitio –le contó Francesca.

Estaba contenta de no haber tenido que pedirle a su amiga que organizase la boda, Ariella lo daba por hecho.

–El Four Seasons –añadió–. Hemos reservado la terraza para la ceremonia y el salón de baile para la recepción.

Ariella asintió, pero Francesca supo que ya estaba pensando en los preparativos.

–Bien. Esa es la parte más difícil con tan poco tiempo. Tendremos que utilizar al cocinero del hotel, así que tendré que hablar con él lo antes posible para fijar el menú. ¿Vosotros habíais pensado ya en algo?

A Francesca le dio vergüenza admitir que no. De niña, siempre había fantaseado con cómo sería su boda. Había soñado con un vestido de princesa y miles de rosas adornando la ceremonia, pero nada de eso le parecía apropiado para la ocasión. Quería reservar aquellas ideas para su boda de verdad. Para un matrimonio que fuese a durar más de un año.

–Nos encantará cualquier cosa que podáis organizar con tan poca antelación. No estamos como para ponernos puntillosos.

Ariella buscó en su bolso y sacó la agenda. Apuntaba casi todo en el teléfono, pero le había dicho a Francesca que una boda requería papel y lápiz.

–¿Preferencias relativas a colores o flores?

–Ninguna. Las que sean de temporada y estén disponibles. No me gusta mucho el naranja, pero podría soportarlo.

–¿Podrías soportarlo? Por poco tiempo que tengamos, es tu boda y se supone que tiene que gustarte. Dime qué quieres y lo conseguiré.

Francesca supo que su amiga iba a intentar organizarle la boda perfecta por mucho que ella se resistiese, así que se olvidó de sus dudas y cerró los ojos. Aunque no fuese una boda de verdad, ¿qué era lo que quería para su boda con Liam?

–Colores suaves, románticos –le dijo–. Blanco o rosa claro. Velas. Encaje. Y un toque brillante.

Ariella lo anotó todo en su agenda.

–¿Te gustan las gardenias? Son de temporada y huelen maravillosamente. Y pegan con las rosas. Tal vez podamos añadir hortensias y peonías.

–Como quieras –respondió ella, y cuando su amiga la miró fijamente, se corrigió–: Suena muy bien. Gracias.

–¿Cómo es el vestido? A veces es de ayuda para el diseño de la tarta.

Francesca tragó saliva.

–Tengo cita para escoger el vestido mañana por la mañana.

–Todavía no tienes vestido –comentó Ariella.

Llevaba prometida menos de dos semanas. ¿Cómo iba a tener ya el vestido?

–Lo único que tengo es el novio y el salón de bodas, Ariella. Por eso te necesito. No obstante, me aseguraré de que tanto Liam como yo nos presentamos adecuadamente vestidos. El resto de detalles te los dejo a ti.

–Por favor, dame algo con lo que trabajar. Sé que confías en mí, pero quiero que tengas la boda que quieres.

–No quiero tener nada concreto en mente porque sé que, con tan poco tiempo, a lo mejor no es posible conseguirlo, pero la idea es buscar un vestido palabra de honor y con adornos de encaje. Tal vez con algún detalle en plata o con cristales incrustados. No sé si eso te ayuda algo para la tarta. No hace falta que te compliques mucho. Prefiero que sea de nata a que sea de fondant. Tal vez podrías adornarla con alguna flor. Solo quiero que sepa bien.

–¿Tienes preferencia por algún sabor?

–Chocolate blanco y rellena de crema. A mi madre le encantará.

–De acuerdo –dijo Ariella sonriendo por fin.

–Y, hablando de comida, te he invitado a comer. ¿Tienes hambre?

Ariella se metió la agenda en el bolso y se puso en pie.

–No tengo tiempo para comer. Tengo que organizar una boda.

Francesca la siguió hasta la puerta y le dio un fuerte abrazo.

–Gracias por tu ayuda. Sé que no os lo estoy poniendo fácil.

–No sabes las novias con las que tenemos que trabajar a veces. Contigo es fácil. Además, para eso están las amigas, para hacer lo imposible cuando hace falta. Así tendré la cabeza ocupada y no pensaré en nada más, en especial, en ese programa de televisión con mi padre biológico.

El presidente había aceptado la propuesta de Liam antes de la gala y Francesca lo había organizado ya prácticamente todo.

–Ya sabes que no estás obligada a hacerlo. Puedes cambiar de opinión.

–No, no puedo –respondió su amiga sonriendo mientras salía por la puerta–. Te mandaré por correo electrónico nuestros planes preliminares y los menús para que les eches un vistazo de aquí a mañana por la tarde.

Francesca asintió y vio cómo su amiga iba hasta su coche. Todo aquello le parecía surrealista. Iba a casarse tres días después. Con un hombre al que conocía desde hacía menos de un mes y del que se había enamorado, pero que no la correspondía.

Sintió que se le encogía el estómago. A eso tenía que añadir que casarse en viernes daba mala suerte. Los italianos nunca se casaban en viernes.

Por desgracia, el salón del hotel no estaba disponible ningún otro día.

Francesca no había visto nada que fuese de buen augurio desde la mariquita del hombro de Liam y casarse con él cada vez le parecía peor idea, pero ya no podía cambiar de opinión.

Liam subió las escaleras de la casa de Francesca con un sobre lleno de documentos en una mano y una bolsa de comida de un restaurante tailandés en la otra. Un rato antes había estado con su abogado para repasar algunos detalles de la boda y en esos momentos pretendía ayudar a Francesca con las cajas.

–¡Hola! –gritó al traspasar la puerta.

–¡Estoy arriba! –le respondió ella.

Liam cerró la puerta tras de él y estudió las cajas perfectamente apiladas y etiquetadas que había en el recibidor.

–Traigo la cena.

–Ahora mismo voy.

Francesca bajó las escaleras poco después. Llevaba el pelo recogido en una cola de caballo e iba vestida con una camiseta sin mangas, pantalones y zapatillas de deporte. A Liam le gustaba ver sus mejillas sonrojadas cuando hacía un esfuerzo, y el brillo del sudor en su escote. Le recordaba al día en que la había conocido.

Parecía que habían pasado siglos desde entonces. ¿Era posible que solo hubiesen pasado un par de semanas desde el encuentro en el ascensor? Y allí estaba, para ayudarla a recoger sus cosas y con un contrato prenupcial en las manos.

–Veo que has trabajado muy duro.

Ella asintió y, sin darse cuenta, se pasó las manos por el pelo.

–Debo de tener un aspecto horrible.

–Eso es imposible –le respondió él, inclinándose a darle un beso–. He comprado comida tailandesa al salir del despacho de mi abogado.

–¿Tu abogado? –repitió ella, dirigiéndose a la cocina.

Liam la siguió.

–Sí. He traído un borrador del acuerdo prenupcial para que le eches un vistazo.

Francesca se quedó inmóvil, con un plato en cada mano, al oír aquello. Palideció y lo miró como si se sintiese dolida, como si Liam acabase de darle una inesperada bofetada. Dejó los platos y se giró enseguida hacia la nevera.

–¿Estás bien? –le preguntó él con el ceño fruncido.

Francesca sabía que el acuerdo prenupcial era necesario.

–Sí, estoy bien –le respondió sin mirarlo. En su lugar, abrió la nevera y buscó algo en ella–. ¿Qué vas a beber?

–Me da igual –dijo Liam, dejando la bolsa con la comida en la encimera y acercándose a ella–. Esto te ha disgustado. ¿Por qué?

–No, estoy bien –insistió Francesca sacudiendo la cabeza–. Es solo que me ha sorprendido. No habíamos hablado del tema, pero tiene sentido, por supuesto. Esto es un acuerdo comercial, no un matrimonio de verdad.

Él se dio cuenta de la amargura de sus palabras y deseó ver la expresión de su rostro en esos momentos, aunque tal vez fuese mejor no hacerlo.

Había escogido a Francesca para aquello porque había pensado que era capaz de distanciarse emocionalmente de las cosas. Tal vez se hubiese equivocado. Últimamente habían pasado mucho tiempo juntos. Cenaban, charlaban durante horas, hacían el amor... Tenían prácticamente una relación real. Quizás los sentimientos de Francesca también hubiesen empezado a ser reales.

Esta le dio una lata de refresco y él la aceptó.

Luego se puso a buscar en la bolsa de comida y le preguntó sin mirarlo:

—¿Cuáles son los principales puntos del acuerdo?

No quería mirarlo. Estaba evitándolo por algún motivo, tal vez porque pensaba que Liam podría ver la verdad en sus ojos y quería ocultársela. Si sentía algo por él, no quería que lo supiera. Así que Liam decidió no insistir en ese momento y optó por responder a su pregunta.

—Que lo que es tuyo seguirá siendo tuyo, y lo que es mío seguirá siendo mío.

Francesca asintió y se sirvió pollo.

—Me parece sensato. ¿Algo más?

—Mi abogado ha insistido en ponerte una cláusula elevadora. No he podido decirle que no hacía falta porque solo vamos a estar casados un año.

Dice que la incluye en todos los acuerdos prenupciales, así que la he dejado.

–¿Qué es una cláusula elevadora?

–En nuestro caso, te da derecho a una determinada cantidad de dinero en cada uno de nuestros aniversarios de casados. El dinero va a un fondo a tu nombre y cuanto más tiempo estemos casados, más recibes.

Francesca se giró hacia él con el ceño fruncido.

–No quiero tu dinero, Liam. Eso no formaba parte de nuestro acuerdo.

–Lo sé, pero quiero dártelo. Hemos ido mucho más lejos de lo que habíamos hablado en un principio y te lo mereces. Te estoy cambiando la vida.

–¿De cuánto dinero se trata?

–De cinco millones el primer año. Y otro millón más cada años de casados que cumplamos. Después, a los diez, veinte años, etcétera, cinco millones más.

–¿Cinco millones de dólares por un año de matrimonio? Eso es ridículo. No estoy de acuerdo.

–Si todo sale bien, heredaré todos los bienes de mi tía además de las acciones de ANS. En total, unos dos mil millones de dólares, así que estaría dispuesto a darte diez si los quisieras. ¿Por qué no los aceptas?

–Porque me hace sentir como una cazafortunas, Liam. Ya está mal que nos casemos sabiendo que no es de verdad, solo para complacer a tu tía.

145

Si la gente se entera de que después de un año me das cinco millones de dólares…

Francesca tomó su plato y empezó a servirse arroz bruscamente.

–Me hace sentirme como una cualquiera.

–Espera un momento –le dijo él–. Si fuésemos a casarnos enamorados de verdad, probablemente tendríamos el mismo acuerdo prenupcial. ¿Por qué no hacerlo de todos modos?

–No lo sé –respondió ella sacudiendo la cabeza–. Porque no está bien.

Liam tomó el plato de sus manos y lo dejó en la encimera. Luego la abrazó por la cintura y la apretó contra su cuerpo. Al ver que seguía evitando su mirada, le levantó la barbilla con un dedo y la obligó a mirarlo. Quería que escuchase bien lo que le tenía que decir.

–Nadie va a pensar que eres una cazafortunas. Vas a ganarte ese dinero durante el próximo año. Vas a tener que ser mi esposa y estar a mi disposición veinticuatro horas al día, todos los días de ese año.

Liam sabía que aquella aclaración ayudaría y, al mismo tiempo, haría daño a Francesca. Justificaba el asunto del dinero, pero a ella la reducía a una empleada. Y eso no era cierto. Para él, era mucho más que eso. No obstante, no quería confundirla más hablándole de sentimientos.

–Esto ya no es solo un acuerdo comercial, Francesca. Vamos a casarnos. Tal vez no lo hagamos por los motivos por los que otras personas se casan, pero el resultado va a ser el mismo. Tú no tenías por qué hacer esto por la cadena, pero accediste a hacerlo de todos modos. Para mí eres… importante. Por eso quiero compartir parte de los beneficios contigo. No solo porque te los hayas ganado o porque te los merezcas, sino porque quiero hacerlo. Si quieres, puedes donarlo todo a obras benéficas, me da igual lo que hagas con el dinero.

La expresión de Francesca se suavizó y ella asintió antes de enterrar el rostro en su pecho. Liam la abrazó con fuerza y le dio un beso en el pelo.

Fue entonces cuando se dio cuenta del precio que ambos estaban pagando para salvar la cadena y proteger su sueño. La recompensa sería enorme, pero el coste emocional, también.

Ni siquiera cinco millones de dólares podrían pagarlo.

Capítulo Once

Liam se quedó a la entrada de la terraza en la que iba a celebrarse la ceremonia. Tal y como le habían pedido, se había puesto un esmoquin negro, camisa blanca, corbata de seda también blanca y chaleco. Unos minutos antes, Ariella le había prendido una gardenia blanca en la solapa. Su aspecto era, sin duda, de novio, aunque él no se sintiese así.

Al otro lado de las puertas estaba la mejor ceremonia que se podía preparar con tan poco tiempo. En el centro había un pasillo salpicado de pétalos de rosa blancos y rosas y a ambos lados de este, filas de sillas blancas. En la parte delantera había una pequeña plataforma para que todo el mundo pudiese ver bien la ceremonia y detrás de este un arco de rosas blancas, que era lo único que tapaba las vistas de la ciudad y la puesta de sol, que tendría lugar justo mientras ellos intercambiaban los votos.

Aproximadamente una hora antes, Ariella le había dejado ver el salón de baile en el que iba a celebrarse la recepción. Le había parecido que en él había todo un ejército trabajando. Las paredes estaban cubiertas de telas blancas que, con la iluminación, iban cambiando de blanco a rosa y de rosa a gris. Los manteles también eran blancos, con adornos de encaje. En el centro de las mesas había altos candelabros de plata rodeados de flores y cadenas de pequeños cristales o centros bajos con velas anchas de color blanco colocadas dentro de floreros de cristal. En un rincón estaba la tarta de seis pisos. Cada uno de ellos, bordeado de cristales Swarovsky. En lo más algo, una C también de cristales blancos y rosas.

Era preciosa. Elegante. Y una pena que fuese a malgastarse con aquella farsa de boda. Liam se había sentido culpable.

Como estaba nervioso y no tenía testigos que le llevasen alcohol desde el bar, había optado por ponerse en la puerta a recibir a los invitados, que serían unos cien. Casi todo el mundo había confirmado su presencia a pesar de la poca antelación, tal vez por curiosidad. Hasta el momento, nadie le había hecho ninguna pregunta incómoda, como cuándo salía Francesca de cuentas, pero Liam estaba seguro de que la gente hablaba de ellos.

–Diez minutos –le recordó Scarlet, pasando por su lado con una carpeta pegada al pecho.

Diez minutos. Liam tragó saliva y puso la sonrisa de novio que tendría que llevar todo el día. En menos de media hora estaría casado con Francesca, con todos sus familiares y amigos como testigos. Un mes antes había celebrado la compra de ANS, emocionado con la idea de ir a cumplir su sueño: ser el dueño de una importante cadena de televisión. En esos momentos estaba a punto de casarse con una mujer a la que casi no conocía para evitar que ese sueño se convirtiese en una pesadilla.

—Liam —lo llamó una voz de mujer.

Él se giró y vio a tía Beatrice. Iba sentada en una silla de ruedas que conducía Henry. Verla así lo sorprendió a pesar de estar al corriente de su enfermedad. No era posible que ya no pudiese andar. Aunque, si pensaba en las últimas veces que la había visto durante ese mes, lo cierto era que siempre había estado sentada cuando él había llegado. No la había visto levantada ni andando. En ese momento se dio cuenta de que era porque no podía hacerlo, pero se lo había ocultado hasta entonces.

—Tía Beatrice —la saludó sonriendo e inclinándose a darle un beso en la mejilla—. Y Henry.

Le dio la mano al mayordomo, por el que sentía un nuevo aprecio.

—Ambos tenéis sitio reservado en primera fila —añadió.

Tía Beatrice asintió y Henry empujó la silla en esa dirección. Su tía no le dio la enhorabuena, ni comentó que todavía estaba a tiempo de echarse atrás. Ni siquiera se había molestado en preguntarle acerca de su relación con Francesca. Liam supuso que, aunque fuese una farsa, su tía tenía la sensación de estar saliéndose con la suya. Debía de pensar que, a lo largo de aquel año, terminarían enamorándose el uno del otro de verdad. O que si no era así le daría igual porque ya estaría muerta.

—Liam —lo llamó Ariella, acercándose—. Tenemos un problema.

A él no le sorprendió. Con lo rápidamente que lo habían organizado todo, era evidente que algo tenía que salir mal.

–¿Qué ocurre?

–La seguridad nos ha avisado de que hay una persona que no está invitada y que se dirige hacia aquí.

Liam frunció el ceño.

–¿Quién es? ¿Un periodista?

–Más o menos. Angelica Pierce. ¿Qué quieres que hagamos?

Liam comprendió la importancia de aquella información, sobre todo, para Ariella. Habían suspendido a Angelica de empleo y sueldo porque era sospechosa de haber sido la responsable de las escuchas telefónicas ilegales que habían revelado que Ariella era la hija secreta del presidente de los Estados Unidos.

–No hagáis nada. Es probable que monte un escándalo si la hacemos salir. Creo que lo mejor será dejarla entrar y hacer como si no pasase nada.

Ariella asintió.

–De acuerdo –dijo, dándose la vuelta y murmurando–: Cinco minutos.

Liam dio la bienvenida a otros invitados e intentó no preocuparse por Angelica. Solo la había visto en persona una vez y había tenido la impresión de que era una aduladora, capaz de hacer cualquier cosa con tal de conservar su trabajo. En esos momentos estaba suspendida de empleo y sueldo, hasta que tuviesen el resultado de la investigación que Hayden Black estaba llevando a cabo, así que a Liam no le sorprendió que se hubiese presentado allí. Quería hacer acto de presencia y hacerle la pelota al jefe y a su recién estrenada esposa.

O eso era lo que esperaba Liam, que no tramase nada más. Hayden y su prometida, Lucy Royall, ya estaban en la terraza. Lucy era hija adoptiva de Graham Boyle y entre Angelica y ella no había una buena relación. Con un poco de suerte, se sentarían muy lejos la una de la otra y no se cruzarían en toda la noche. Aunque Liam tenía la sensación de que, ese día, la suerte no estaba precisamente de su parte.

Entonces la vio.

—Angelica —dijo sonriendo y aceptando su abrazo—. Me alegro de verte.

Quería que todo saliese bien, así que no iba a decirle que no era bienvenida.

A esta pareció gustarle el recibimiento. Se había vestido para la ocasión y estaba radiante, aunque Liam tuvo la sensación de que había engordado en las últimas semanas. Tenía el rostro más redondo y el vestido le quedaba muy apretado. La tensión de la investigación debía de estar haciendo mella en ella.

—No me lo habría perdido por nada del mundo. Me encantan las bodas. Y la de mi jefe es especialmente importante. Espero que seáis muy felices juntos.

Liam sonrió y le dio las gracias, y después se giró a darle la bienvenida a los siguientes invitados. Eran el que había sido presentador estrella de la cadena de la competencia, Max Gray, y su esposa Cara. Se habían casado en marzo y acababan de volver de una larga luna de miel en Australia. Ambos estaban radiantes de felicidad y a Cara ya se le empezaba a notar el embarazo. Esta había dejado su trabajo en la Casa Blanca para trabajar de relaciones públicas en D.C. Affairs, pero era evidente que en esos momentos estaba volcada en su futura familia.

Al llegar a la puerta y ver a Angelica, ambos se quedaron de piedra.

–¿Qué está haciendo ella aquí? –preguntó Max, que había participado en la investigación de las escuchas telefónicas.

Liam se encogió de hombros.

–Supongo que intenta hacer amigos. ¿Habéis tenido buen viaje?

–Ha sido increíble –respondió Cara–. Hemos dormido mucho, comido bien, y hemos hecho algo de turismo. Ha sido maravilloso. ¿Adónde vais a ir Francesca y tú de luna de miel?

Buena pregunta.

–Todavía no tenemos nada planeado. Todo ha sido tan rápido y hay tanto trabajo que no hemos tenido tiempo. Con un poco de suerte, podremos escaparnos unos días. La opción de Australia suena muy bien. Ya me contaréis después los detalles.

Max y Cara entraron a sentarse y detrás de ellos llegaron los últimos invitados. Liam se puso la corbata recta y respiró hondo. Scarlet y un hombre trajeado se dirigían hacia él muy decididos.

–Ha llegado la hora de la verdad. Este es el reverendo Templeton. Él entrará primero y tú lo seguirás. Luego será el turno de la novia y su padre. ¿Estás preparado, Liam?

Otra buena pregunta. Estaba todo lo preparado que podía estar, teniendo en cuenta que era un matrimonio de conveniencia. Lo único que le hacía sentirse mejor era saber que iba a pasar todo un año con una mujer muy sexy, que hacía que le ardiese la sangre de pasión.

–Estoy preparado.

Francesca estaba sentada completamente inmóvil frente al tocador, dejando que su madre le prendiese una enorme gardenia blanca en el pelo. Se miró en el espejo y vio la perfecta imagen de una novia en el día más importante de su vida. Llevaba el pelo negro y brillante recogido y la gardenia a un lado. El maquillaje era impecable. Había encontrado el vestido perfecto. A pesar del poco tiempo con el que lo habían organizado todo, las cosas habían salido muy bien. Era como si aquella boda fuese real.

Pero no lo era.

Un persistente dolor de estómago le había impedido desayunar y comer al medio día. A su lado había un plato con fruta y galletitas saladas, pero cuando lo miraba se sentía todavía peor.

El mal presentimiento que tenía era incurable. Aquella boda era un error. Estaba segura, pero quería a Liam y ANS y sus empleados le importaban demasiado como para pensar con claridad.

Se miró al espejo por última vez y respiró hondo para intentar recuperar la compostura. No era el momento de venirse abajo. Sobre todo, con sus padres allí, mirándola con preocupación.

Su padre había entrado en la habitación y se había sentado en un rincón, con el ceño fruncido. Lo cierto era que el día anterior, cuando habían estado juntos en el hotel, había tenido la misma expresión. Esta se había suavizado un instante y se le habían humedecido los ojos nada más verla con el vestido de novia, pero no había durado mucho.

Y Francesca pensaba que su propia expresión de cautela no debía de estar ayudando mucho, pero no podía hacer nada al respecto. Tenía que reservar las sonrisas y la energía para la boda y la recepción.

–¿Estás bien, *bella*?–le preguntó su madre.

Era una versión más menuda de Francesca, con los mismos ojos oscuros y la misma piel morena. Llevaba el pelo moreno recogido en un moño salpicado de mechones de pelo cano que le daban un toque elegante. Había elegido para la ocasión un vestido gris y una chaqueta. Ariella le había prendido en la solapa una rosa blanca y rosa un rato antes, lo mismo que a su padre.

Francesca asintió y se puso en pie, estirándose el vestido. Había deseado y encontrado un vestido blanco palabra de honor; había podido elegir entre varios porque, al parecer, aquel estilo estaba de moda. Aquel tenía una capa de encaje en la falda que caía hasta el suelo y estaba bordado con cuentas de plata, cristales y perlas. Lo que más le gustaba de él era el fajín plateado que llevaba a la cintura, con un dibujo hecho con cristales en el centro. Acentuaba su figura y le daba al vestido un toque especial.

—¿Por qué me lo preguntas? —añadió en tono inocente.

—Porque esperaba verte más feliz. ¿Dónde está esa novia bella y radiante? —le preguntó su madre, tomando su rostro cariñosamente.

Ella dejó de alisarse el vestido y sonrió. Agarró la mano de su madre para tranquilizarla.

—Estoy bien, mamá, solo un poco nerviosa.

—Es normal, vas a casarte con un hombre al que casi no conoces —intervino su padre desde el rincón.

—¡Victor! —exclamó su madre, mirándolo con el ceño fruncido por encima del hombro—. Ya hemos hablado de esto en casa. Nosotros hicimos lo mismo, ¿no? ¿Y no eres feliz, treinta años después?

Él se encogió de hombros porque no quería discutir.

—Mamá —dijo Francesca—, ¿puedes darme ese espejo pequeño para que me vea por detrás?

Donatella se lo dio y Francesca lo sujetó para comprobar que todo estuviera bien. Satisfecha, lo dejó en el borde del tocador, pero sin querer empujó la punta del mango y lo hizo caer al suelo.

—Oh, no —se lamentó, agachándose a recoger los trozos de espejo del suelo. Con ellos en la mano, volvió a sentarse en la silla y sacudió la cabeza–. Siete años de mala suerte. Por si acaso necesitaba otra señal.

–Tonterías –dijo su madre–. Tu *nonna* te llenó la cabeza de tonterías cuando eras niña. Lo único que significa esto es que hay que barrer los cristales y comprar otro espejo. Tu matrimonio solo dependerá de ti. Y si antes de casarte ya piensas que va a salir mal, saldrá mal. Debes llenar tu corazón y tu alma de alegría, no de miedo, *bella*.

Francesca esperó que su madre tuviese razón. Ignoraría los malos augurios e intentaría disfrutar lo máximo posible de su año con Liam. No podía tener más, así que no iba a pasarse el tiempo llorando solo porque sabía que iba a perderlo.

Llamaron suavemente a la puerta y, un segundo después, Ariella asomó la cabeza.

–Señora Orr, tiene que ir a ocupar su sitio. Volveré a por la novia y el padrino en un momento –dijo, guiñándole un ojo a Francesca antes de salir de la habitación.

Aquel era el momento que esta había temido más. Cinco minutos a solas con su padre, sin su madre en medio. Con un poco de suerte, podría distraerlo charlando de alguna nimiedad mientras Ariella volvía.

–¿Qué tal estoy, papá?

Él se cruzó de brazos y la miró fijamente antes de contestar.

–Eres la novia más bella y triste que he visto nunca.

Francesca frunció el ceño. ¿Cómo era posible que la conociese tan bien?

–Estoy sonriendo. ¿Por qué piensas que estoy triste?

–Hay algo en tu mirada… Es evidente que ocurre algo, estoy seguro.

–No seas tonto, papá.

Victor se levantó y se acercó a ella. La ayudó a ponerse en pie y le agarró la mano con fuerza.

–Mírame a los ojos y dime que lo amas.

Francesca miró a su padre a los ojos. Si de verdad quería echarse atrás, era el momento. Solo tenía que abrir la boca y su padre la metería en un avión y se la llevaría a California antes de que tía Beatrice se diese cuenta de lo que estaba ocurriendo. Pero no podía hacerlo. No iba a hacerlo.

Tenía que responderle con sinceridad. Su padre sentía que había un problema, pero no sabía cuál. Si quería la verdad, tendría que hacerle aquella pregunta a Liam, no a ella.

Sin parpadear, le dijo:

–Amo a Liam. Lo amo.

–¿Y quieres casarte con él?

–Sí, papá. Quiero casarme con Liam.

Él estudió su rostro, pero no encontró nada en él.

Volvieron a llamar a la puerta y Ariella entró en la habitación con el ramo de flores de Francesca.

–Es precioso –le dijo esta, aceptándolo.

Estaba hecho de rosas blancas y rosas y tenía también hortensias blancas y pequeñas flores de jazmín. Le había dado a Ariella muy pocas indicaciones acerca de lo que quería, pero, al menos con el ramo, había acertado completamente. Y estaba segura de que todo lo demás también sería perfecto.

–¿Esperabas menos? –le preguntó su amiga sonriendo–. Ha llegado la hora.

Victor agarró a su hija del brazo y se dirigieron a la terraza. Cuando llegaron a las puertas, Ariella las abrió y salieron con la música del cuarteto de cuerda de fondo. Un centenar de personas se levantó de las sillas y se giró a mirarla mientras avanzaba por la alfombra salpicada de pétalos de rosa.

Iba más o menos por la mitad del pasillo cuando por fin fue capaz de mirar a Liam.

Lo había evitado hasta entonces porque no quería ver la verdad en sus ojos. Lo más probable era que estuviese nervioso. Incluso temeroso de la decisión que había tomado. No habría lágrimas de amor y felicidad en sus ojos. No estaría sonriendo orgulloso al ver a la mujer a la que adoraba más guapa que nunca. Francesca estaba segura de que su gesto sería de decepción, pero lo miró de todos modos.

Cuando sus miradas se cruzaron, el corazón le dio un vuelco. Estaba muy guapo. Ya lo había visto de esmoquin antes, pero ese día estaba distinto. Era por la expresión de su rostro. En ella no había amor, pero sí admiración. Y atracción, eso era seguro. Mucho respeto. Liam sabía el sacrificio que estaba haciendo casándose con él y se lo agradecía. Pero no la quería. No como ella lo amaba a él.

Francesca tuvo que recordarse que debía sonreír y dio así los últimos pasos hasta llegar a su sitio.

El reverendo empezó la ceremonia y su padre
le dio un beso antes de entregarla a Liam. Ella no
fue capaz de mirarlo a los ojos entonces. No quería que Victor viese el miedo, el pánico que había
en los suyos. Así que los cerró y se inclinó para
permitir que le diese el beso.

—Te quiero, papá.

—Y yo a ti.

Entonces, le dio su mano a Liam y ambos avan-
zaron juntos.

A Francesca le temblaban las rodillas, pero Liam
la sujetó con fuerza y la guio hasta el reverendo sin
soltarle la mano.

—No te dejaré caer —le susurró—. Podemos hacerlo.

Luego sonrió y le guiñó un ojo.

La ceremonia empezó, pero Francesca lo veía
todo borroso. El reverendo habló, ella dijo sus votos, intercambiaron los anillos y, cuando quiso
darse cuenta, estaba besando a su marido delante
de cien personas.

Los aplausos y los vítores fueron como un jarro de agua fría que la devolvió a la realidad. Se
agarró con fuerza al brazo de Liam para girarse
hacia los invitados y volvió a recorrer con él el pasillo.

Cuando giraron la esquina que había antes de
las puertas de la terraza, Ariella los estaba esperando para conducirlos a la habitación en la que

había estado Francesca un rato antes, donde esperarían al fotógrafo mientras los invitados se dirigían al salón y empezaban a disfrutar del cóctel.

Francesca apoyó el ramo de flores en el tocador, junto al espejo roto, y se dejó caer en la silla.

Ya estaba hecho. Estaban casados.

Casi no podía creerlo. Se sentía aturdida, como si estuviese soñando. La ceremonia había sido bonita, pero no como ella había imaginado que sería el día de su boda.

Miró a Liam, que vio unas copas de champán y se acercó a por ellas. Le ofreció una y levantó la suya para brindar.

–El primer día ya casi está. Solo faltan trescientos sesenta y cuatro.

Ella suspiró y le dio un buen sorbo a su copa. Luego cerró los ojos para evitar ponerse a llorar.

Lo que faltaba para que aquella boda fuese tal y como había soñado siempre era un hombre que la amase y la adorase. Eso era lo único que Scarlet y Ariella no habían podido conseguir.

Capítulo Doce

Liam estaba preocupado por Francesca. Al verla avanzar hacia él por el pasillo, había pensado que era la novia más guapa que había visto nunca. El vestido blanco realzaba su tez morena y le sentaba como un guante.

Por un momento, todo había sido demasiado real. Le había costado respirar y se le había secado la boca. El corazón se le había acelerado. Francesca iba a ser su esposa. Y, en ese momento, había querido que lo fuese en todos los sentidos de la palabra.

Había sido una sensación extraña. Una sensación nueva y desconocida hasta entonces. Había salido con muchas mujeres a lo largo de los años, pero Francesca le gustaba y la respetaba de verdad. Era lo más cerca que había estado nunca de amar a una mujer. Nunca había pensado en casarse, aunque había sabido que algún día le llegaría el momento. Tía Beatrice había hecho que tuviese que adelantar ese momento.

Liam no supo si habían sido las flores o la música. Lo guapa que estaba con el vestido o las lágrimas de felicidad de su propia madre, pero en ese momento se había sentido entregado. Le había emocionado casarse con Francesca. Tal vez

162

aquel año no estuviese tan mal. Tal vez… pudiese haber algo más que un acuerdo comercial entre ambos. Una relación de verdad.

El gesto frío de Francesca lo devolvió a la realidad. No estaba radiante de felicidad. No tenía lágrimas de alegría ni sonreía emocionada. Estaba fingiendo bien, pero Liam sabía que estaba a punto de estallar. Y la comprendía. Por eso le había dado la oportunidad de decidir que no quería seguir adelante con aquello, pero ella había insistido. No era de esas mujeres que daban marcha atrás.

Desde que habían ido al salón donde tendría lugar la recepción, se había convertido en un robot. Sonreía, pero su mirada estaba perdida. Liam no sabía qué podía ocurrir si dejaba de controlar sus emociones, pero sabía que no iba a ser bonito.

Por suerte, pudieron perderse en la multitud de sonrisas, apretones de manos y abrazos de los invitados. Después de aquello, la recepción sería breve. Con tan poca antelación, Scarlet y Ariella solo habían podido organizar un cóctel. No habría baile, ni cena de cinco platos. Solo una hora de canapés y tarta, y luego cada cual se iría a su casa. Ambos podrían aguantar aquello sin problemas.

Los últimos invitados pasaron a saludarlos y Liam y Francesca pudieron relajarse un poco.

–¿Estás bien? –le preguntó él al oído.

Ella asintió.

–Solo un poco abrumada.

–¿Quieres que vaya a por una copa?

–Sí. Por favor.

Liam fue a buscar algo de beber y estaba volviendo al lado de Francesca cuando vio por el rabillo del ojo a Hayden Black hablando con Angelica Pierce. En realidad, estaban discutiendo.

Sinceramente, Liam esperaba que Hayden encontrase pruebas de la implicación de Angelica en el escándalo de las escuchas y poder dirigir ANS sin ella como empleada. Necesitaba una buena razón para echarla para siempre.

Liam buscó a Ariella y a Scarlet con la mirada, pero ni las vio a ellas ni vio a nadie del personal de seguridad que habían contratado. Tal vez tuviese que intervenir él. La copa de Francesca iba a tener que esperar.

Liam se acercó y los oyó discutir.

—Me parece grotesco que la gente piense que eres tú quien está detrás de todo eso —decía Hayden—. No eres lo suficientemente inteligente.

Angelica estaba colorada y miraba a Hayden con odio. No vio acercarse a Liam.

—Y tú te crees muy listo, Hayden, pero no voy a caer en tu red. ¿Eso es lo único que se te ocurre? ¿Llamarme rubia tonta? Esperaba algo más de ti. Lo único que veis los hombres es lo que las mujeres queremos que veáis, pero no te dejes llevar por las apariencias. A lo mejor tengo el mismo color de pelo que tu querida Lucy, pero no soy tan dulce y manejable como ella. Me he ganado mi puesto en la empresa y no ha sido porque mi padrastro era el dueño.

—Sí —admitió Hayden—, pero Lucy tiene algo que tú no tendrás jamás por mucho que te esfuerces.

–Ah, ¿sí? ¿El qué? ¿El amor de un hombre como tú?

–No. El amor incondicional de su padre. Ella es la niña que Graham siempre quiso. La niña a la que crio como si fuese suya. Le compró un poni y fue a sus espectáculos de ballet. Le regaló un coche descapotable en su decimosexto cumpleaños. Y apuesto a que está muy triste porque está en la cárcel y no va a poder acompañarla al altar el día que nos casemos.

Angelica se puso tensa, pero encogió los hombros como si todo aquello le diese igual.

–¿Y qué? Su padrastro le ha consentido todo. ¿Se supone que debo sentir celos de eso?

–No, pero a lo mejor te molesta que no tuviese que sobornar a nadie para mantener a Lucy en secreto. No se avergonzaba de ella.

–No sé qué estás insinuando –respondió Angelica muy despacio, aunque su frío tono de voz decía todo lo contrario.

Liam se preguntó de qué estaban hablando. Había oído que Lucy y Angelica no se llevaban bien, pero Lucy se había marchado de ANS para trabajar con Hayden antes de que él se pusiese al frente de la cadena. Y, evidentemente, no sabía nada del pasado de Angelica ni de su familia. ¿Por qué le enfadaba tanto a Angelica la relación que Lucy tenía con Graham?

Hayden parecía saber bien cómo pincharla y Liam no sabía si lo hacía solo por diversión o porque esperaba conseguir que Angelica cometiese un error.

Liam miró a su alrededor y vio al cámara que había hecho un video de la ceremonia. Le hizo un gesto para que se acercase.

–Quiero que, sin que nadie se dé cuenta, grabes esa conversación –le pidió, señalando a Hayden y a Angelica.

El cámara trabajaba en el equipo de investigación de ANS y sabía hacer su trabajo. Se perdió entre la multitud y se acercó a la pareja por la espalda de Angelica.

Liam vio cómo Hayden miraba un momento al cámara y después volvía a centrarse en Angelica.

Aquella era su oportunidad.

–Admítelo, Angelica. Todo eso de las escuchas no tiene nada que ver con el presidente ni con conseguir fama. Lo que querías en realidad era hundir a Graham y vengarte de él.

Liam contuvo la respiración.

–Eso es ridículo. Graham era un mal jefe, de ética dudosa, pero no se encontraba entre mis inquietudes. Tengo cosas mucho mejores que hacer que perder el tiempo intentando arruinar a alguien como él. Ese tipo de personas acaban arruinándose solas.

–Me resulta interesante oírte decir eso, porque tengo fotografías que demuestran lo contrario. Fotografías de ti sin ese peinado tan moderno y sin lentillas. Al verte así me acordé de algo que me había dicho Rowena Tate. Me contó que en el internado le parecías una chica trastornada, inestable, que siempre te jactabas de tener un padre rico, pero que este nunca apareció por el colegio. Se limitaba a enviarte un cheque.

–Yo no fui a ningún internado –dijo Angelica, cada vez más tensa.

–He hecho algunas investigaciones y he averiguado que fue Graham Boyle quien pagaba las facturas. ¿No te resulta extraño? Siempre dijo que no tenía hijos propios. Debe de ser muy duro crecer sabiendo que tu padre no quiere saber nada de ti, que fuiste solo un error que se podía arreglar con dinero. Si fuese tú, habría querido vengarme.

–Cállate, Hayden.

–Ni siquiera te reconoció cuando entraste a trabajar en ANS. Estabas distinta, sí, pero un padre siempre reconoce a su hija, ¿no crees? Y tú tuviste que aguantarte y ver lo bien que trataba a Lucy, que en realidad no era su hija.

–No tengo por qué escuchar tus tonterías. Es evidente que no tienes nada contra mí.

Angelica sacudió la cabeza y se dio la media vuelta para marcharse de allí.

–Lo triste es que te has molestado mucho, has estropeado muchas vidas y, al final, no has conseguido nada.

Angelica no se marchó. Volvió a mirar a Hayden y le dijo furiosa:

–Ah, ¿sí? ¿Y qué te hace pensar que no es esto lo que había planeado? Esos tontos, Brandon y Troy, cargarán con la culpa de todo. Las pruebas señalan a Marnie Salloway como cabeza pensante. Graham Boyle va a pudrirse en la cárcel y su cadena va a desaparecer. A mí me parece perfecto. Lo único que siento es no haber encontrado la manera de implicar también a Lucy para mandarla a la cárcel con su papá.

–Boyle no ha ido a la cárcel porque te quiera o porque haya intentado protegerte, sino porque es culpable.

–No necesito su amor –replicó Angelica–. He llegado muy lejos en la vida sin él. Lo que necesitaba era ver a ese cerdo de rodillas. Y lo he conseguido.

Hayden sonrió de oreja a oreja y miró al cámara.

–¿Has grabado eso, Tom?

El otro hombre asintió.

–Todo.

Angelica se quedó boquiabierta y se puso colorada.

–¡Cretino! –le gritó a Hayden–. Me has tendido una trampa. Si piensas que voy a permitir que arruines mi carrera sin ninguna prueba física de mi implicación en las escuchas, estás muy equivocado. Nadie te creerá, ni siquiera con esa grabación.

Hayden negó con la cabeza.

–Yo no voy a arruinar tu carrera. Como bien has dicho, hay personas que acaban arruinándose la vida ellas solas. Estoy seguro de que en ANS te despedirán en cuanto vean la película. Y al FBI y al comité de investigación del Congreso les va a parecer todo muy interesante. Pronto tendrás tu propio pijama naranja, a juego con el de tu padre.

¿Graham Boyle era el padre de Angelica? Liam frunció el ceño confundido, pero no le dio mucho tiempo a pensar, porque Angelica le dio una bofetada a Hayden. Este se limitó a sacudir la cabeza y a mirarla con pena.

–Es una pena que hayas desperdiciado tu vida en esto. Siento lástima por ti.

Un grupo de invitados a la boda los había rodeado y estaba presenciando la discusión. Más testigos. Cuantas más personas se juntasen, más se enfadaría Angelica.

–No quiero tu compasión –espetó esta.

Liam vio que abría y cerraba las manos, como si estuviese intentando mantener el control, pero lo cierto era que estaba fuera de sí. De repente, alargó la mano hacia la tarta nupcial, tomó un trozo con la mano y se la tiró a Hayden a la cara.

–¿Qué estáis mirando? –gritó después a la multitud.

Tomó más tarta con ambas manos y empezó a lanzarla a su alrededor. Los invitados se pusieron a gritar y se dispersaron. Liam miró hacia donde estaba Francesca. Tía Beatrice y su madre estaban fuera de la línea de fuego, pero Henry no tuvo tanta suerte y la tarta le manchó el traje. No obstante, él se echó a reír. Después de cuarenta años con Beatrice, aquello no debía de parecerle nada.

Antes de que Liam pudiese buscar ayuda, dos guardias de seguridad agarraron a Angelica, que se puso a patalear y a gritar.

–¡No me toquéis! ¡Soltadme!

Liam observó sorprendido cómo conseguía zafarse de ellos y, al hacerlo, tropezaba y se caía encima de lo que quedaba de tarta. Ya cubierta de nata, los guardias volvieron a agarrarla de los brazos.

–La verdad es que ahora sí que te pareces a la de antes, Madeline –le dijo Hayden.

–No vuelvas a llamarme así. ¿Me has oído? ¡Jamás! Madeline Burch está muerta. Muerta. Yo soy Angelica Pierce. ¡Angelica Pierce!

Los guardias se la llevaron de allí y Liam supo que tenía la excusa perfecta para despedirla de una vez por todas.

–Siento que se haya armado este lío –se disculpó Hayden, limpiándose la tarta de la cara–. No pensé que se acercaría a hablar conmigo, pero no podía desperdiciar la oportunidad. He estropeado la recepción. Mira la tarta.

Liam se encogió de hombros.

–Descubrir a Angelica era importante. Tenías que hacerlo.

Salió con Hayden del salón y fueron a hablar con la policía, que los estaba esperando fuera. Respondieron a sus preguntas y les dieron sus datos. Hayden optó por acompañarlos a comisaría, pero Liam supo que debía quedarse allí e intentar salvar lo que quedaba de boda.

–Lo siento mucho –dijo en voz alta, al ver que había varios invitados manchados de tarta–. Por favor, seguid disfrutando de la recepción. Siento que no vaya a haber tarta.

Algunas personas se echaron a reír y otras volvieron a formar grupos y se pusieron a charlar.

Liam se dio cuenta de que las dos copas que había ido a buscar a la barra seguían encima de una mesa. Las tomó y buscó a Francesca con la mirada.

Pero no la encontró.

Con el ceño fruncido, recorrió el salón hasta dar con Ariella.

—¿Has visto a la novia? —le preguntó.

—La última vez ha sido cuando la he acompañado al taxi.

—¿Al taxi? —preguntó Liam con el ceño fruncido—. ¿Quieres decir que se ha marchado? ¿Sin mí?

Ariella se mordió el labio y asintió.

—Hace diez minutos. Cuando Angelica ha empezado a tirar la tarta. Necesitaba salir de aquí.

Liam se dio cuenta de que el salón estaba hecho un caos. Scarlet estaba pidiendo a los camareros que limpiasen la tarta. Los invitados seguían allí, pero parecían incómodos. La boda había sido un desastre.

Y a él no le extrañaba que Francesca se hubiese marchado.

Francesca se había quitado el vestido nada más llegar. El corsé le estaba cortando la respiración. Aquello había sido demasiado.

Al principio, se había sentido aliviada al ver que Hayden y Angelica estaban montando una escena. Por primera vez en todo el día, no era ella el centro de atención.

Pero entonces había visto cómo volaba la tarta.

Su *nonna* nunca había mencionado que eso en concreto diese mala suerte, pero a Francesca no le hacía falta. La recepción había sido un desastre. Y aquella farsa de matrimonio iba a serlo también.

Cuando le había pedido a Ariella que la ayudase a tomar un taxi, su amiga había debido de pensar que estaba disgustada por lo ocurrido en la recepción, pero lo cierto era que no podía seguir fingiendo más. Un minuto más en aquel salón y lo habría estropeado todo.

En esos momentos, en casa de Liam, vestida con unos vaqueros y un jersey fino, se sentía mejor y peor al mismo tiempo. Todavía había cajas suyas por todas partes, pero no iba a abrir ninguna.

Se sirvió una copa de vino para tranquilizarse y fue al piso de arriba, al dormitorio principal, a recoger sus cosas.

Si se daba prisa, podría dormir en su cama esa misma noche. No era precisamente la noche de bodas que la gente imaginaría, pero le daba igual.

Tenía una maleta llena y cerrada cuando oyó la puerta.

—¿Francesca? —la llamó Liam.

—Estoy arriba —respondió ella, poniendo una bolsa de viaje encima de la cama. La estaba llenando de lencería y pijamas cuando Liam entró en la habitación.

Francesca intentó no fijarse en lo guapo que estaba con el esmoquin arrugado. Llevaba la corbata desatada y el primer botón de la camisa desabrochado. Le gustaba así, desaliñado. A pesar de todo, no pudo evitar que su cuerpo reaccionase al verlo. Se le aceleró el pulso y sintió un cosquilleo por la piel, pero pensar en lo mucho que lo deseaba no era precisamente lo mejor. Si lo hacía, querría quedarse, y tenía que marcharse de allí.

–¿Qué estás haciendo? –le preguntó él en voz baja, cansada.

Ambos habían tenido un día muy largo y no les hacía falta complicarlo todavía más, pero tenía que hacerlo esa noche.

–Estoy recogiendo mis cosas para volver a casa –le respondió, metiendo un par de prendas más antes de mirarlo–. No te preocupes, dejaré el resto aquí hasta que tía Beatrice se marche de la ciudad el lunes, pero luego volveré a llamar al camión de la mudanza para que venga a por lo demás.

Liam se acercó a ella y Francesca deseó apoyar el rostro en su pecho y olvidarse de todo, pero no podía hacerlo.

–¿Por qué?

Francesca cerró la bolsa y clavó la vista en ella mientras respondía.

–Lo siento, Liam. Pensé que podría hacerlo, pero no puedo.

Él tardó un momento en responder.

–¿Quieres que pidamos la nulidad?

Ella lo miró y sacudió la cabeza.

–No, seguiré casada contigo por el bien de la cadena. Con un poco de suerte, eso será suficiente, porque no puedo jugar a ser la esposa feliz contigo. Es demasiado duro...

Tuvo que interrumpirse porque los ojos se le llenaron de lágrimas. Inmediatamente, le dio la espalda para que Liam no la viese llorar.

–Es demasiado duro para mi corazón, Liam.

Él se acercó todavía más, pero no la tocó.

–¿Qué quieres decir?

Francesca respiró hondo.

–Que quiero más.

–¿Más de cinco millones?

Al oír aquello, Francesca levantó la cabeza y lo miró a los ojos.

–No lo entiendes, ¿verdad? No quiero tu dinero. Nunca lo he querido. Tengo dinero suficiente. Quiero cosas que tú no puedes darme. Quiero amor. Una familia de verdad. Un matrimonio como el de mis padres. Quiero un hombre que me quiera más que a nada en el mundo.

Sacudió la cabeza y se colgó el bolso del hombro.

–Esto no es culpa tuya. He estado mintiéndome a mí misma. Primero me dije que podría estar contigo y que todo iría bien, que podía estar un año fingiendo, pero no puedo hacerlo porque he sido tan tonta que me he enamorado de ti. Después, tuve la esperanza de que, tal vez, tú también acabases enamorándote y de que esto pudiese convertirse en algo más. Qué ilusa, ¿no?

Liam alargó las manos hacia ella, pero Francesca se apartó.

–No –le dijo–. No me toques. Sé que no sientes

nada por mí. Digas lo que digas ahora mismo, solo vas a conseguir empeorar la situación todavía más.

Tomó su maleta y la llevó hasta la puerta.

–Francesca, espera.

Ella se detuvo y lo miró. Si estaba equivocada y Liam sentía algo por ella, aquel era el momento de que se lo dijese. Lo miró a los ojos azules con la esperanza de ver amor en ellos, pero solo vio desesperación y confusión. Liam no quería que se marchase, pero no sabía cómo pedirle que se quedase.

–Liam, ¿habrías considerado casarte conmigo si no te hubieses visto obligado por la situación? ¿Me habrías pedido salir después de lo que ocurrió entre nosotros en el ascensor? Sé sincero, por favor.

Liam frunció el ceño y se metió las manos en los bolsillos.

–Probablemente, no.

Al menos, ambos estaban diciendo la verdad. Francesca salió por la puerta y bajó las escaleras con la maleta. Tenía que volver a casa y seguir adelante con su vida.

Capítulo Trece

Liam firmó el despido de Angelica y apartó el documento. Había pensado que se alegraría de zanjar aquel tema, pero no podía estar contento. Era el hombre recién casado más deprimido de la historia.

Para empezar, no había vuelto a ver a su esposa desde la noche de bodas. Y el fin de semana había sido muy largo sin ella. Se había acostumbrado a tenerla cerca. Sin su presencia, la casa le parecía fría y vacía.

Y en el trabajo no estaba mucho mejor. Francesca no había ido a saludarlo por la mañana ni le había llevado café. Ni siquiera sabía si había ido a trabajar. Quería llamarla o mandarle un correo, pero sabía que no debía hacerlo. Tenía que darle el espacio que necesitaba. Se merecía al menos eso.

Pero echaba de menos a su mujer.

Se había acostumbrado a pensar en ella así. Ya no era su empleada. Era su esposa. Le daba hasta miedo, pero era la verdad.

Nunca había pensado mucho en cómo sería tener una esposa o una familia, pero en cuanto Francesca se había marchado de su casa, había notado cómo se le abría un agujero en el pecho.

Era como si le hubiese arrancado el corazón y se lo hubiese llevado con ella.

Sí, se habían casado para complacer a su tía, era cierto, pero una vez casado con Francesca, la situación le parecía bien. Natural. Ya no le importaba lo que tía Beatrice pensase. Estaba… enamorado de Francesca.

—Amo a mi esposa —dijo en voz alta en su despacho vacío.

Nadie iba a oírlo, pero al decirlo sintió que se quitaba un enorme peso de encima. Por desgracia, admitir la verdad era solo el primer paso.

¿Cómo podía demostrarle a Francesca que la quería de verdad? ¿Que aquello no tenía nada que ver con acciones ni con la cadena de televisión?

La única manera de convencerla era renunciar a las acciones y seguir casado con ella solo porque quería hacerlo.

Pero si no quería poner en riesgo la cadena, necesitaba controlar ANS sin las acciones de su tía. Y eso era imposible. Salvo que…

Liam tomó su teléfono y salió de detrás de su escritorio. Tenía que hablar con Victor Orr antes de que volviese a California. Francesca le había comentado que sus padres iban a estar unos días en Washington, así que, con un poco de suerte, podría encontrarlo.

Hizo dos llamadas y condujo hacia el hotel, en busca de los padres de Francesca. Ya estaba esperando a que le abriesen la puerta cuando se dio cuenta de que no sabía lo que iba a decirles. Para empezar, tendría que admitir la verdad.

Victor abrió la puerta con el ceño fruncido. Parecía saber que algo iba mal. ¿Por qué si no iba a ir a verlo su yerno un par de días después de la boda? Lo dejó entrar y le hizo un gesto para que se sentase en uno de los sillones del salón.

Luego lo observó unos minutos antes de que Liam encontrase el valor necesario para hablar.

–Necesito contarle algunas cosas –empezó.

–Seguro que sí –respondió Victor, sentándose también, dispuesto a escuchar.

Como no sabía cuál era la mejor manera de contarle toda la historia, Liam decidió empezar por el principio. Le habló de las acciones de su tía, se saltó el episodio del ascensor y continuó con la condición de Beatrice de que tenían que casarse.

–¿Y mi hija ha accedido a semejante locura?

–Sí, señor. Al principio dudó un poco, pero al parecer vio una señal que la animaba a hacerlo. Una mariquita.

Victor sacudió la cabeza.

–Francesca y sus malditas señales. ¡Mira que casarse con un hombre al que no conoce por una mariquita!

–Nunca pensamos que tendríamos que llegar a casarnos, pero mi tía se empeñó. Está enferma y quería asegurarse de que lo hacíamos. Le dije a Francesca que no teníamos que hacerlo, pero ella insistió.

–Es tan testaruda como yo.

Liam prefirió no hacer ningún comentario al respecto.

–Lo que no pensamos es que podríamos llegar a enamorarnos de verdad. En nuestra noche de bodas, Francesca me dijo que sentía algo por mí y que sabía que yo no la correspondía, y que no podía continuar con la farsa.

–¿Y tú la dejaste marchar?

Liam frunció el ceño y bajó la vista a las manos.

–No supe qué decirle. No estaba seguro de mis sentimientos.

–¿Y ahora?

–Ahora sé que quiero a su hija, y quiero pedirle su mano.

–Hijo, ya estáis casados.

–Lo sé, pero las cosas han cambiado. Quiero casarme con ella de verdad. Quiero ir a decirle lo que siento, pero necesito su ayuda. Francesca no me creerá si mi tía sigue amenazándome con vender sus acciones a otra persona. Y no tengo dinero para comprárselas yo. Necesito ayuda para tener el control de la cadena sin sus acciones.

Victor asintió.

–No creo que yo tenga suficientes, pero tengo algunas, y mi amigo Jimmy Lang, también. Juntos podríamos alcanzar una mayoría. Espera, voy a hacer una llamada.

Victor fue a su dormitorio y Liam no pudo evitar sentirse esperanzado. No quería ir a decirle a Francesca que la quería si existían motivos para que esta dudase de sus intenciones.

–Buenas noticias –anunció Victor unos minutos después–. He hablado con Jimmy y hemos he-

179

cho cuentas. Con las acciones de los tres tenemos el cincuenta y dos por ciento de la empresa. Y tanto a Jimmy como a mí nos gusta cómo estás llevando la cadena y estamos dispuestos a delegar en ti.

Le tendió la mano a Liam.

–Enhorabuena, sigues al frente de ANS.

Liam le dio la mano a su suegro, emocionado.

–Muchas gracias, señor.

Victor se encogió de hombros.

–No lo hago por ti, sino por mi niña. Tienes mi consentimiento para casarte con ella, así que sal de aquí y vete ahora mismo a arreglarlo.

Liam asintió.

–Gracias otra vez –dijo mientras salía de la habitación.

Estaba deseando ir a ver a Francesca, pero antes tenía que hacer otra parada. Por suerte, era en aquel mismo hotel.

Liam llamó a la puerta de la suite del ático y esperó a que Henry abriese la puerta. El mayordomo lo saludó con la misma sonrisa con la que lo recibía siempre.

–Entra, Liam. Creo que tu tía no te espera esta mañana. Está haciendo la maleta para volver a Nueva York.

–Siento no haber llamado antes de venir, Henry, pero necesito hablar con ella. Es importante.

Henry señaló hacia el dormitorio y Liam se dirigió hacia allí sin esperarlo.

Tía Beatrice levantó la vista al oírlo entrar. Estaba sentada en la silla de ruedas, doblando la ropa.

–Liam –le dijo–. Pensé que estarías disfrutando de la luna de miel.

–No lo piensas –le contestó, sentándose a su lado, en el borde de la cama–. Los dos hemos estado jugando a un juego muy peligroso, que podía terminar haciendo daño a muchas personas.

Ella no se molestó en fingir que no entendía lo que Liam quería decir.

–Yo he hecho lo que he pensado que sería mejor para la familia. Y para ti, pienses lo que pienses.

–Lo sé, y he venido a darte las gracias.

Tía Beatrice lo miró sorprendida al oír aquello.

–¿Las gracias?

–Sí. Si no me hubieses obligado a casarme, habría dejado escapar a Francesca. La quiero. Y espero conseguir que esté casada conmigo cuarenta años... No por la cadena, ni porque me lo exijas tú, sino porque quiero que envejezcamos juntos. Dicho eso, no voy a permitir que me sigas manipulando. No necesito tus acciones de ANS para tener el control de la cadena. Y tampoco quiero tu herencia.

Tía Beatrice guardó silencio varios minutos y luego dijo:

–Esas son las palabras de un hombre preparado para tomar las riendas de esta familia. Jamás pensé en vender las acciones a Ron Wheeler. Solo quería ver que sentabas la cabeza y que eras feliz. Francesca es la mujer adecuada para ti. Lo supe igual que supe que estabais fingiendo. Imaginé que las cosas funcionarían entre vosotros con el tiempo. Cuando ambos dejaseis de luchar contra ello. Es una pena que vaya a morirme antes de poder veros realmente felices juntos.

–¿Sabías que era todo mentira?

–Para estar al frente de esta familia hace falta una persona inteligente y observadora. Y yo lo soy. Pero siento haberme inmiscuido en tu vida privada. Llamaré a mi corredor de Bolsa esta misma tarde y le pediré que te transfiera las acciones.

–¿Qué? ¿Ahora?

–Será mi regalo de boda. No es un regalo muy normal, pero Francesca y tú tampoco sois los típicos novios.

Liam tomó la mano de su tía y le dijo:

–Muchas gracias, tía Beatrice.

Esta giró la cabeza, pero Liam ya había visto cómo se le humedecían los ojos.

–No me las des. Vas a tener que salvar la cadena y hacer frente a los parientes que te han tocado cuando yo falte.

–¿Estás segura de que me quieres dejar de albacea a mí?

–Estoy segura. Y no te preocupes, al final te acostumbrarás a que te hagan la pelota constantemente.

Francesca se marchó temprano de ANS. No había salido de su despacho en toda la mañana por miedo a encontrarse con Liam por los pasillos. Había tenido un par de días para estar sola en casa, lamiéndose las heridas, pero todavía no estaba preparada para volver a verlo. Sobre todo, sabiendo que los demás esperaban que estuviesen felices.

Oyó que Jessica le decía a alguien por teléfono que Liam había salido y pensó que era su oportunidad de escapar.

Llegó a casa sin problemas y, aliviada, dejó el bolso en la mesita del café, se quitó los zapatos y fue a la cocina.

Y al llegar casi se murió del susto al verlo allí.

—*Oh, dio mio!* —exclamó—. ¿Qué estás haciendo aquí, Liam? Me has asustado.

—Lo siento. No era mi intención —le respondió él—. Pensé que verías mi coche aparcado delante de la casa. Me diste una llave, así que he pensado que podía esperarte dentro hasta que llegases. He llamado a Jessica, pero me ha dicho que te habías marchado ya.

—Te di la llave cuando íbamos a ser una feliz pareja de recién casados. No deberías haberla utilizado después de todo lo que ha pasado. ¿A qué has venido? No tenemos nada de que hablar.

Liam sacudió la cabeza y se acercó a ella.

—Tenemos mucho de que hablar. Para empezar, de lo mucho que te quiero y de lo triste que he estado desde que te marchaste.

Francesca había abierto la boca para discutir con él, pero volvió a cerrarla. No podía haber oído bien.

—¿Qué has dicho?

Liam sonrió y a ella se le aceleró el corazón.

Iba vestido con una camisa azul que realzaba el color de sus ojos. Tenía ojeras. Parecía cansado y un poco tenso, pero ella lo había atribuido al estrés de dirigir la cadena y al desastre de la boda.

¿Podía estar perdiendo el sueño por ella?

Liam se detuvo justo antes de tocarla, obligándola a mirarlo. La agarró por los brazos y le repitió:

–Te quiero, Francesca. Estoy enamorado de ti.

Ella deseó creerlo, pero no pudo. Hizo caso omiso de las mariposas de su estómago y retrocedió.

–El viernes por la noche no me querías. Podías habérmelo dicho entonces y no lo hiciste. Me dejaste marchar. Y ahora te presentas aquí y me cuentas otra historia. ¿Qué ha pasado? ¿Se ha enterado tu tía? ¿Estás intentando conservar la cadena por otros medios?

Liam tragó saliva.

–Esperaba que dijeses algo así. Y por eso he tardado tanto en venir a verte hoy. Antes tenía algo muy importante que hacer.

Francesca se cruzó de brazos, dispuesta a escucharlo.

–Para empezar, tenía que hablar con tu padre –le dijo él.

Ella abrió mucho los ojos.

–¿Se lo has contado todo a mi padre? ¿Por qué? Va a matarme. ¿Cómo has podido hacer eso sin hablar antes conmigo?

–Porque necesitaba su ayuda. Y que me diese su visto bueno para casarme contigo.

–Es un poco tarde para eso.

–Nunca es tarde si la dicha es buena. No solo he conseguido su bendición, sino que tanto su socio como él van a apoyarme en ANS para que pueda dirigir la cadena sin necesidad de que mi tía me dé sus acciones.

Francesca intentó procesar todo aquello.

–¿Ya no necesitas las acciones de tu tía?

–No.

Eso significaba que no tenían por qué seguir casados.

–¿Pero no quieres la nulidad?

–No –dijo Liam, volviendo a acercarse–. No pienso perderte de vista en los próximos cuarenta años.

Las mariposas del vientre de Francesca aletearon furiosas. Ella se llevó la mano a esa zona para calmarlas.

–Espera. Me quieres. Quieres seguir casado conmigo. ¿Y no tiene nada que ver con la cadena?

–Eso es. También se lo he dicho a mi tía esta mañana. No quería que tuvieses ningún motivo para dudar de mi sinceridad.

La abrazó por la cintura y, en esa ocasión, Francesca no se apartó. Se apretó contra su cuerpo y suspiró contenta al volver a estar entre sus brazos.

–Estoy enamorado de ti, Francesca Crowe. Y quiero estar casado contigo hasta el día en que me muera.

A ella le dio un vuelco el corazón al oír aquello.

–Yo también te quiero.

185

Liam inclinó la cabeza para darle un beso. Su primer beso de enamorados. Francesca lo abrazó por el cuello e intentó acercarse todavía más a él, pero era imposible. Se perdió en las sensaciones y dejó que Liam la sujetase cuando se le doblaron las rodillas.

Después de lo que le pareció una eternidad, él se apartó y le dijo:

–Quiero que nos casemos.

Francesca arrugó la nariz.

–*Mio caro*, ya estamos casados.

–Lo sé, pero quiero hacerlo otra vez. Y tenemos que ir de luna de miel. Y esta vez los dos solos. Sin familia ni tensión y, sobre todo, sin lanzamiento de tarta nupcial.

Epílogo

Antigua, una semana después

Francesca nunca había pensado que unas vacaciones pudiesen ser tan perfectas. No habían podido irse muchos días porque pronto se emitiría el programa de Ariella y el presidente, pero habían podido escaparse a pasar un fin de semana largo en el Caribe.

Habían tomado el sol, se habían bañado en el mar, habían comido el mejor marisco del mundo y habían renovado sus votos en un cenador situado encima del agua. Habían tenido la oportunidad de decirse lo que sentían el uno por el otro y, después, habían bebido champán en su bungaló.

Para ese día habían planeado ir a bucear, hacer el amor y dormir la siesta. Habían estado viendo peces toda la mañana cuando, de camino a su bungaló, Francesca se detuvo y señaló una pantalla de televisión que había en la cafetería.

—Liam, mira.

Estaban hablando de Madeline Burch. Por un instante, Francesca se sintió mal por ella. Tenía muy mal aspecto. El naranja no le sentaba nada bien.

—Ya ha saltado la noticia —comentó Liam.

No oían la voz, pero al pie de la imagen ponía

que Hayden Black había testificado que Madeline era la hija ilegítima de Graham Boyle.

Liam le había contado a Francesca lo que había escuchado de la discusión entre ambos durante la recepción, pero hasta entonces la prensa había desconocido los motivos de la periodista para cargar contra Graham.

—Qué pena —comentó Francesca—. Cuántas vidas ha arruinado esa mujer con su sed de venganza.

Cuando se giró, Liam estaba sacando el teléfono. Lo encendió y empezó a tocar las teclas, pero se detuvo de repente. Volvió a apagarlo y se lo guardó.

—¿De verdad? —le preguntó ella, sorprendida.

—Estoy seguro de que la cadena y mis empleados lo tienen todo bajo control. Y, aunque no sea así, estoy de luna de miel. No hay nada que me importe menos que la hija secreta de Graham Boyle.

Agarró a Francesca por la cintura y la apretó contra él para que notase lo mucho que la deseaba.

—En estos momentos —añadió—, lo que más me interesa es hacerle el amor a mi esposa.

En el Deseo titulado
Romance clandestino,
de Jennifer Lewis,
podrás terminar la serie
HIJAS DEL PODER